FRIEDRICH MAXI

Sturm un

EIN SCHAUSPIEL

MIT EINEM ANHANG
ZUR ENTSTEHUNGS-
UND WIRKUNGSGESCHICHTE
HERAUSGEGEBEN
VON JÖRG-ULRICH FECHNER

PHILIPP RECLAM JUN. STUTTGART

Universal-Bibliothek Nr. 248 [2]
Alle Rechte vorbehalten. © 1970 Philipp Reclam jun., Stuttgart
Bibliographisch ergänzte Ausgabe 1983
Gesamtherstellung: Reclam, Ditzingen. Printed in Germany 1983
ISBN 3-15-000248-6

Sturm und Drang.

Ein Schauspiel

von

Klinger.

1776.

Personen.

Wild.
La Feu.
Blasius.
Lord Berkley. 5
Jenny Caroline, seine Tochter.
Lady Katharine, die Tante.
Louise, Nichte.
Schiffcapitain Boyet.
Lord Bushy. 10
Ein junger Mohr.
Der Wirth.
Betty.

Die Scene Amerika.

Erster Akt.

Erste Scene.

(Zimmer im Gasthofe.)

Wild. La Feu. Blasius. (treten auf in Reisekleidern.)

5   W i l d. Heyda! nun einmal in Tumult und Lermen,
    daß die Sinnen herumfahren wie Dach-Fahnen beym
    Sturm. Das wilde Geräusch hat mir schon so viel
    Wohlseyn entgegen gebrüllt, daß mir's würklich ein
    wenig anfängt besser zu werden. So viel Hundert
10 Meilen gereiset um dich in vergessenden Lermen zu
    bringen – Tolles Herz! du sollst mirs danken! Ha!
    tobe und spanne dich dann aus, labe dich im Wirrwar!
    – Wie ists Euch?
    [4] B l a s i u s. Geh zum Teufel! Kommt meine Donna
15 nach?
    L a F e u. Mach dir Illusion Narr! sollt' mir nicht feh-
    len, sie von meinem Nagel in mich zu schlürfen, wie
    einen Tropfen Wasser. Es lebe die Illusion! – Ey! ey,
    Zauber meiner Phantasie, wandle in den Rosengärten
20 von Phillis Hand geführt –
    W i l d. Stärk dich Apoll närrischer Junge!
    L a F e u. Es soll mir nicht fehlen, das schwarze ver-
    rauchte Haus gegen über, mit sammt dem alten
    Thurm, in ein Feenschloß zu verwandeln. Zauber,
25 Zauber Phantasie! – *(lauschend)* Welch lieblich, gei-
    stige Symphonien treffen mein Ohr? – – Beym Amor!
    ich will mich in ein alt Weib verlieben, in einem
    alten, baufälligen Haus wohnen, meinen zarten Leib
    in stinkenden Mistlachen baden, bloß um meine Phan-

20 *Phillis:* Typenname der herkömmlichen Schäferdichtung. Vgl. 62, 13.
26 *Symphonien:* »im weitesten Verstande, zusammen klingende Töne,
besonders in der höheren Schreibart« (Adelung Bd. IV, Sp. 510).
29 *Mistlachen:* »eine Lache, d. i. Pfütze, von zusammengelaufener

tasie zu scheren. Ist keine alte Hexe da mit der ich
scharmiren könnte? Ihre Runzeln sollen mir zu Wellenlinien der Schönheit werden; ihre herausstehende
schwarze Zähne, zu marmornen Säulen an Dianens
Tempel; ihre herabhangende lederne Zizzen, Helenens 5
Busen übertreffen. Einen so aufzutrocknen, wie mich!
– He meine phantastische Göttin! – Wild, ich kann dir
sagen, ich hab mich brav ge[5]halten die Tour her.
Hab Dinge gesehen, gefühlt, die kein Mund geschmeckt,
keine Nase gerochen, kein Aug' gesehen, kein Geist 10
erschwungen –

W i l d. Besonders wenn ich dir die Augen zuband. Ha!
Ha!

L a F e u. Zum Orkus! du Ungestüm! – Aber sag' mir
nun auch einmal, wo sind wir in der würklichen Welt 15
jetzt. In London doch?

W i l d. Freylich. Merktest du denn nicht daß wir uns
einschiften? Du warst ja Seekrank.

L a F e u. Weiß von allem nichts, bin an allem unschuldig? – Lebt denn mein Vater noch? Schick doch 20
einmal zu ihm Wild, und laß ihm sagen, sein Sohn
lebe noch. Käme so eben von den Pyrenäischen Ge-
bürgen aus Frießland. Weiter nichts.

W i l d. Aus Frießland? –

L a F e u. In welchem Viertel der Stadt sind wir dann? 25

W i l d. In einem Feenschloß la Feu! Siehst du nicht den
goldnen Himmel? die Amors und Amouretten? die
Damen und Zwerchen?

L a F e u. Bind mir die Augen zu! *(Wild bindet ihm zu)*
Wild! Esel! Wild! Ochse! nicht zu hart! [6] *(Wild* 30

Mistgauche« (Adelung Bd. III, Sp. 231; vgl. ebd. Bd. II, Sp. 1856
s. v. ›Lache‹).

1 *[jemanden] scheren:* »ihn ohne Noth und Nutzen, gleichsam nur
zur Lust plagen und beunruhigen; auch nur in den gemeinen Sprecharten, eigentlich auch, ihn zur Lust gewaltsam hin und her stoßen«
(Adelung Bd. III, Sp. 1422). Vgl. 31, 8; 36, 6; 38, 14.

4 *Diana:* die Göttin der Jagd in der antiken Mythologie. Vgl. 61, 20.

5 *Helena:* Der Name der homerischen Gestalt bietet den stehenden
Vergleich für Frauenschönheit.

8 *Tour:* Modewort für die sentimentale Reise; nicht bei Adelung.

27 *Amors und Amouretten:* Zierfiguren der Rokokokultur.

bindet ihn los) He! Blasius, lieber bißiger, kranker
Blasius, wo sind wir?

B l a s i u s. Was weiß ich.

W i l d. Um euch auf einmal aus dem Traum zu helfen,
5 so wißt; daß ich euch aus Rußland nach Spanien
führte, weil ich glaubte, der König fange mit dem
Mogol Krieg an. Wie aber die Spanische Nation träge
ist, so wars auch hier. Ich packte euch also wieder auf,
und nun seyd ihr mitten im Krieg in Amerika. Ha
10 laßt michs nur recht fühlen auf Amerikanischen Bo-
den zu stehn, wo alles neu, alles bedeutend ist. Ich
trat ans Land – O! daß ich keine Freude rein fühlen
kann!

L a   F e u. Krieg und Mord! o meine Gebeine! o meine
15 Schutzgeister! – So gieb mir doch ein Feenmärchen! o
weh mir!

B l a s i u s. Daß dich der Donner erschlüg, toller Wild!
was hast du wieder gemacht? Ist Donna Isabella noch?
He! willst du reden! meine Donna!

20 W i l d. Ha! Ha! Ha! du wirst ja einmal ordentlich
aufgebracht.

B l a s i u s. Aufgebracht? Einmal aufgebracht? Du sollst
mirs mit deinem Leben bezahlen, Wild! [7] Was? bin
wenigstens ein freyer Mensch. Geht Freundschaft so
25 weit, daß du in deinen Rasereyen einen durch die Welt
schleppst wie Kuppelhunde? Uns in die Kutsche zu
binden, die Pistole vor die Stirn zu halten, immer fort,
klitsch! klatsch! In der Kutsche essen, trinken, uns für
Rasende auszugeben. In Krieg und Getümmel von mei-
30 ner Paßion weg, das einzige was mir übrig blieb –

W i l d. Du liebst ja nichts Blasius.

B l a s i u s. Nein, ich lieb nichts. Ich habs so weit gebracht, nichts zu lieben, und im Augenblick alles zu

---

7 *Mogol:* in Anlehnung an den islamischen Herrschertitel ›Mogul‹
stehender Vergleich für Pracht und Reichtum.

18 *Isabella:* Nach H. Behrendt ist der Name möglicherweise aus
Ariosts »Orlando furioso« übernommen.

26 *Kuppelhunde:* »eine Koppel Hunde, bey den Jägern, zwey vermit-
telst der Koppel mit einander verbundene Jagd- oder Rüdenhunde«
(Adelung Bd. II, Sp. 1716, wo das Kompositum allerdings fehlt).

lieben, und im Augenblick alles zu vergessen. Ich be-
trüg alle Weiber, dafür betrügen und betrogen mich
alle Weiber. Sie haben mich geschunden und zusammen gedrückt, das Gott erbarm! Ich hab' alle Figuren
angenommen. Dort war ich Stutzer, dort Wildfang,   5
dort tölpisch, dort empfindsam, dort Engelländer, und
meine größte Conquette machte ich, da ich nichts war.
Das war bey Donna Isabella. Um wieder zurück zu
kommen – deine Pistolen sind geladen –

W i l d. Du bist ein Narr, Blasius, und verstehst keinen 10
Spaß.

[8] B l a s i u s. Schöner Spaß dies! Greif zu! ich bin dein
Feind den Augenblick.

W i l d. Mit dir mich schießen! Sieh, Blasius! ich
wünschte jetzt in der Welt nichts als mich herum zu   15
schlagen, um meinem Herzen einen Lieblings-Schmauß
zu geben. Aber mit dir? Ha! Ha! *(hält ihm die
Pistole vor)* Sieh ins Mundloch und sag, ob dirs nicht
größer vorkommt als ein Thor in London? Sey gescheid Freund! Ich brauch und lieb euch, und ihr mich 20
vielleicht auch. Der Teufel konnte keine größre Narren und Unglücks-Vögel zusammen führen, als uns.
Deßwegen müssen wir zusammen bleiben, und auch
des Spaßes halben. Unser Unglück kommt aus unserer
eigenen Stimmung des Herzens, die Welt hat dabey   25
gethan, aber weniger als wir.

B l a s i u s. Toller Kerl! ich bin ja ewig am Bratspieß.

L a F e u. Mich haben sie lebendig geschunden, und mit
Pfeffer eingepökelt. – Die Hunde!

W i l d. Wir sind nun mitten im Krieg hier, die einzige 30
Glückseligkeit die ich kenne, im Krieg zu seyn. Genießt der Scenen, thut was ihr wollt.

L a F e u. Ich bin nicht fürn Krieg.

B l a s i u s. Ich bin für nichts.

[9] W i l d. Gott mach' Euch noch matter! – Es ist mir 35
wieder so taub vorm Sinn. So gar dumpf. Ich will
mich über eine Trommel spannen lassen, um eine neue

---

5 *Wildfang:* ein Fremder, Ausländer; auch: ein wilder, unbesonne-
ner Mensch (vgl. Adelung Bd. IV, Sp. 1545 f.).
7 *Conquette:* frz., Eroberung.

Ausdehnung zu kriegen. Mir ist so weh wieder. O
könnte ich in dem Raum dieser Pistole existiren, bis
mich eine Hand in die Luft knallte. O Unbestimmtheit! wie weit, wie schief führst du den Menschen!

5 B l a s i u s. Was solls aber hier am Ende noch werden?

W i l d. Daß Ihr nichts seht! Um aus der gräßlichen Unbehaglichkeit und Unbestimmtheit zu kommen, mußt'
ich fliehen. Ich meinte die Erde wankte unter mir, so
ungewiß waren meine Tritte. Alle gute Menschen, die
10 sich für mich intereßirten, hab ich durch meine Gegenwart geplagt, weil sie mir nicht helfen konnten. –

B l a s i u s. Sag lieber nicht wollten.

W i l d. Ja, sie wollten. Ich mußte überall die Flucht
ergreifen. Bin alles gewesen. Ward Handlanger um
15 was zu seyn. Lebte auf den Alpen, weidete die Ziegen,
lag Tag und Nacht unter dem unendlichen Gewölbe
des Himmels, von den Winden gekühlt und von innern Feuer gebrannt. Nirgends Ruh, nirgends Rast.
Die [10] Edelsten aus Engelland irren verlohren in
20 der Welt. Ach! und ich finde die Herrliche nicht, die
einzige, die da steht. – Seht, so strotze ich voll Kraft
und Gesundheit, und kann mich nicht aufreiben. Ich
will die Kampagne hier mit machen, als Volontair, da
kann sich meine Seele ausrecken, und thun sie mir den
25 Dienst, und schießen mich nieder; gut dann! Ihr neh-
met meine Baarschaft, und zieht.

B l a s i u s. Hohl mich der Teufel! Dich soll keiner todt
schießen, edler Wild.

L a F e u. Sie könntens doch thun.

30 W i l d. Können Sie's besser mit mir meynen? – Stellt
Euch vor, als wir uns einschifften, sah ich in der Ferne
den Schiffscapitain auf seinem Schiff.

B l a s i u s. Der die feindliche Antipathie auf Dich hat.
Ich meyn Du hätt'st ihn in Holland todt geschossen.

---

23 *Kampagne:* frz., Feldzug.

23 *Volontair:* frz., Freiwilliger.

33 *Antipathie:* »das widrige Verhältnis zwischen der Empfindung eines
Menschen und der Vorstellung von einem gewissen Gegenstande, im Gegensatz der Sympathie; und in weiterer Bedeutung eine jede heftige und
gleichsam natürliche Abneigung von etwas« (Adelung Bd. I, Sp. 393).

W i l d. Dreymal schon mit ihm auf Leben und Tod gestanden, und noch läßt er mir keine Ruhe, und nie
beleidigte ich den Menschen. Ich gab ihm eine Kugel,
und er mir einen Stoß. Es ist grausam wie er mich haßt
ohne Ursach. Und ich muß gestehen, ich lieb' ihn. Es   5
ist ein braver, rauher Mann. Weiß der Himmel, was
er mit uns vor hat. Laßt mich eine Stunde allein!

[11] D e r   W i r t h. Die Zimmer sind bereit Mylords.
Sonst was gefällig?

W i l d. Wo sind meine Leute?   10

W i r t h. Haben gessen und schlafen.

W i l d. Sie lassen sich wohl seyn.

W i r t h. Und Sie befehlen nichts?

W i l d. Den stärksten Punsch, Herr Wirth.

L a   F e u. Der fehlt dir noch, Wild.   15

W i l d. Ist der General hier?

W i r t h. Ja, Mylord!

W i l d. Was für Fremde sind im Hause? Doch ich mags
nicht wissen. *(Geht ab.)*

B l a s i u s. Mich schläfert.   20

L a   F e u. Mich hungert.

B l a s i u s. Mach dir Illusion, Narr! – Alle Welt Teufel
von meiner Donna weg! *(Alle gehen ab.)*

Zweyte Scene.

(Lord Berkleys Zimmer.)   25

Lord Berkley. Miß Caroline.

C a r o l i n e. *(Auf einem Clavier in süßer melancholi-
scher Schwermuth phantasirend.)*

---

14 *Punsch:* »ein Getränk, welches aus Branntwein, sauren Säften,
Zucker und Wasser bereitet und so wohl kalt als warm getrunken
wird [...] Wir haben das Wort von den Engländern bekommen,
bey welchen es aber auch nicht einheimisch ist, sondern mit dem
Getränke selbst aus Ostindien herstammet. Der Nahme soll von dem
Malabarischen Worte Panscha, fünfe, abstammen, weil dieses Getränk aus fünf Ingredienzien bereitet wird« (Adelung Bd. III,
Sp. 865). – Vgl. aber G. Baist, in: Zeitschrift für deutsche Wort-
forschung 12 (1910) S. 300.

B e r k l e y. *(Ein Kartenhaus auf kindische phanta-*
stische Art bauend.) So ganz zum Kind zu werden!
Alles gol[12]den, alles herrlich und gut! Dieses Schloß
bewohnen, Zimmer, Saal, Keller und Stall! – All des
5 bunten, verworrnen, undeutlichen Zeugs! – Ich find an
nichts Freude mehr. Glückliche Augenblicke der Kindheit, die ihr rückkehrt! Find an nichts Freude mehr,
als an diesen Kartenschloß. Bedeutend Sinnbild meines
verworrnen Lebens! Ein Stoß, ein harter Tritt, ein
10 leichtes Windchen, wirft dich zusammen; aber der
feste unermüdete Muth des Kindes, der dich wieder
aufbaut! Ha! so will ich mich mit ganzer Seel nein
verschließen, und denken und fühlen nichts anders,
als wie herrlich es ist in dir zu weben und zu seyn. –
15 Lord Bushy! ja mein Seel! ich räumte dir ein Zimmer
ein. So unfreundlich du gegen mich warst, sollst du
Berkleys bestes Zimmer bewohnen. Ha! es kehrt sich
doch immer in mir herum, störrischer Bushy! so oft
ich rückdenk. Einen von Haus und Hof vertreiben,
20 blos weil Berkley fetter stund als Bushy – es ist
schändlich. Und doch dies Zimmer, ausgemahlt mit
meiner Geschichte, steht dir zu Dienst. – Ja wer das
zusammen fassen könnte, da mein Herz so klein zu ist
– Ha! Ha! Lord Berkley! dir ist wohl, da du wieder
25 zum Kind wirst! – Tochter!

[13] C a r o l i n e. Mein Vater!

B e r k l e y. Kind! Du glaubst nicht wie wohl einem
werden kann. Sieh! So eben bau ich Bushys Zimmer.
Wie gefällt dirs?

30 C a r o l i n e. Recht wohl Mylord! Wahrhaftig, ich
wollte seine Magd werden und ihm dienen, Ihrer Ruhe
wegen.

B e r k l e y. Wo er sich herumtreiben mag, der feindliche
Bushy! – Von Haus und Hof! Von Weib und Gut! –
35 Bushy es kann nicht seyn! – Und da mein süßes Kind
um alles zu bringen. – Nein, Mylord, wir können
nicht zusammen wohnen. *(Zerschlägt das Kartenhaus.)*

---

1 *Kartenhaus:* Kinderspiel und poetisches Bild der Hinfälligkeit.
Häufig verwendet in der Literatur des Sturm und Drang, z. B. bei
Gotter, Goethe und Schiller; nicht bei Adelung verzeichnet,

Caroline. Mein Vater!

Berkley. Wie, Miß? Schäme dich! bist du Berkleys
Tochter! Bushy dienen? Bushys Magd? keiner Königin
nicht. Ha! das könnte mir in tiefen Schlaf einfallen
und mich toll machen. Bushys Magd Miß! Wollen   5
Miß nicht widerrufen? Bushys Magd?

Caroline. Nein, Lord! Nur nenne mich Tochter! O,
das Wort Miß, ist ein herber Schall für Berkleys
Tochter aus Vater Berkleys Mund. *(Seine Hand küs-
send.)*   10

[14] Berkley. Hm! gute Jenny! – Lebe unsre Lord-
und Mißschaft! – Aber ich kann nicht mit ihm zusammen wohnen. Wahrhaftig, ich käm in Versuchung ihn
im Schlaf zu erwürgen. – O, gieb mir kindische Ideen!
Ich find an nichts Freude mehr. All meine Lieblings-   15
sachen, meine Kupfer, meine Gemählde, meine Blumen, alles ist mir gleichgültig geworden.

Caroline. Wenn Sie's mit der Musik versuchten –
vielleicht daß dies –

Berkley. Nu! laß doch sehen! –   20

Caroline. *(spielt ihm vor.)*

Berkley. Nein! Nein! o ich bin doch immer der
weiche, närrische Kerl, aus dem ein reiner Ton machen
kann, was er will. Und curios ist's Kind, es giebt Töne,
die mir ein ganzes, trauriges Gemählde durch einen   25
Klang, aus meinen widrigem Leben vor die Augen
stellen; und wiederum welche, die meine Nerven so
freudig treffen, daß wie der Ton zum Ohr kommt,
eine der Freudens-Scenen aus meinem Leben da steht.
Zum Beyspiel, so eben begegnete mir deine Mutter in   30
dem Park zu Yorkshire, und hüpfte so recht freudig
aus der dichten Allee, wo seitwärts der Bach sich
schlängelt und murmelt, wie du dich [15] erinnern
wirst. Ich hört es genau, und so das Fliegen-Gesums im
Sommer um einen. Ich wollt sie so eben herzen, und   35
ihr was lustiges erzählen, als du andre Saiten grifst. –

---

8 *Miß:* Gegenbegriff zur sentimentalen ›Tochter‹-Wortgebärde. Vgl.
die dramaturgisch ähnliche Verwendung von ›Mamsell‹ in H. L. Wagners »Kindermörderin« (1776) am Ende des II. Akts (in Reclams
Universal-Bibliothek Nr. 5698/98a S. 30 f.).

C a r o l i n e. Bester Vater! o meine Mutter! *(die Augen gen Himmel.)*

B e r k l e y. Ja, so mit naßem Aug hinauf, ich weiß wie das ist. So sah sie oft, und ihr Aug, das redete wie das deinige. O Kind! Und wie du nun die Töne wandeltest, freylich wars Bushy und Hubert. Du siehst also daß das nicht geht. Ich weiß nicht wie's ist, daß ich just in mir so ganz anders aufgespannt bin.

C a r o l i n e. Ich weiß was Musik thut, was sie diesem Herzen giebt und nimmt. Sich so in eine Zauber-Idee hineinspielen, und wenn man sich denn umsieht ob er da ist – der! der! aller Töne Innhalt und Wiederklang – der! – Herz! mein Herz! *(erschrocken, ihre Augen verbergend.)*

B e r k l e y. Hm! Hm! Herz mein Herz! – Setz dich zu mir und hilf mein Schloß wiederaufbauen. Siehst du! ich habs weit gebracht Gottlob! zerschlagen und wiederaufbauen! Ha! Ha! – Nu lustig! Nimm du den rechten Flügel und ich den linken. Und wenn der Pallast steht, so wollen wir die [16] bleierne Soldaten nehmen, und du commandirst ein Bataillon und ich eins. Wir schlagen uns herum wie Bushy und Hubert, dann machen wir Complot, greifen das Schloß an, werfen den alten Berkley nakend mit seiner kleinen Jenny und guten Weib heraus. Steckens an – Feuer und Flammen – he Miß!

C a r o l i n e. *(ihre Augen wischend, seine Stirne küßend)* Unglückliches Gedächtniß! daß der Himmel ruhige Vergeßenheit auf dein graues Haupt träufelte, alter Berkley! Vater uns mangelt nichts, uns ist wohl. Was ist Bushy, daß der edle Berkley in seinem sechzigsten Jahr seiner denken sollte.

B e r k l e y. Ich denk seiner nicht, närrisch Kind! Was kann ich dafür daß mirs immer noch so bitter aufquillt. Ich fühls nur so.

C a r o l i n e. Das eben.

B e r k l e y. Ich will dirs vorposaunen wie er mit dei-

---

23 *Complot:* frz., Verschwörung. »eine geheime Verbindung zu Begehung eines Verbrechens, und diejenigen Personen, welche sich auf solche Art verbinden« (Adelung Bd. I, Sp. 1345).

nem Vater umgieng. – Laß mich mit dem Blick! Nun
ja, ich wollt ich hätt ihn, er sollte ruhig und friedlich
sein Haupt in meinen Schooß legen. Aber hier müßtest
du stehen und keinen Schritt weichen, sonst wenn er
so vor mir stünde – o Gott! du hast uns wunderbar   5
gebaut, wunderbar unsre Nerven gespannt, wunderbar unser Herz gestimmt!

[17] C a r o l i n e. Hatte Bushy nicht einen Sohn?

B e r k l e y. Freylich. Ich möchte fast sagen einen braven
rüstigen, wilden Knaben, wenns Bushys Sohn nicht   10
wäre.

C a r o l i n e. Hieß er nicht Carl? hatte blaue Augen,
braune Haare, und war grösser als alle Knaben seines
Alters? Es war ein hübscher, wilder rothwangigter
Junge. Er machte immer meinen Ritter und stritt für   15
mich.

B e r k l e y. *(wild.)* Bushy! Bushy!

C a r o l i n e. Vater! o mein Vater! Ihre böse Stunde
kommt. *(schmiegt sich an ihn.)*

B e r k l e y. Geh weg! hatte ich nicht einen Sohn, einen   20
braven, ungestümen, eigensinnigen Jungen, den ich in
der schrecklichen Nacht verlohr? Leben gegen Leben
wo ich Carl Bushy ertapp! Wär mein Harry da, ich
wollte seine Faust eisern machen, sein Herz grimmig,
seine Zähne gierig, er sollte mir Welt auf Welt ab tra-   25
ben, biß er Berkley an Bushy gerochen hätte.

C a r o l i n e. Mylord! schone deiner Tochter.

B e r k l e y. *(verworren.)* Nun da! Laß mich doch was
sinnen – ja was – willst du mit, Kind! – Ha ich will
auf die Parade. Ich denk der Feind soll in einigen   30
Tagen angreifen, und [18] dann rücken wir aus. Ha!
Ha! Ich bin ein grauer, alter Kerl, gieb mir nur Kindheit und närrisch Zeug! Ha! Ha! Es ist toll Miß, und
gut, daß heiß, heiß bleibt, und Haß, Haß, wies einem
braven Menschen zukommt. Das Alter ist so kalt   35
nicht, das sollen sie mir fühlen. Pack da mein Schloß
zusammen, damit mir nichts verdorben wird. Adieu
Miß, die Trommel geht. *(ab.)*

C a r o l i n e. *(ihm nachrufend.)* Nur gute Stunden, lie-
ber Vater!   40

B e r k l e y. *(kommt hastig zurück.)* Das weiß Gott,
Miß, es war um Mitternacht, stockfinster, und er über-
fiel uns. Und wie ich morgens aus starrer Taubheit
erwachte, mein Weib und keins meiner Kinder hatte,
5 und ich schrie, winselte, und ächzte in Tönen – in
Tönen – he! und so die Hände hub, zum trüben Himmel: Gieb mir meine Kinder! Mach Bushy kinderlos,
daß er fühle, was das ist kinderlos! da fand ich dich
naß, kalt und erstarrt, hingst an meinen Hals, und
10 schlugen deine zarte Hände und Beine zusammen. Miß
Berkley! Ich stund da so trüb und todt in endlosem
Schmerz, in endloser Freud eins meiner Kinder gerettet zu haben. Und du strichst mit zitternder Hand
über meiner Stirne den kal[19]ten Schweiß hinweg.
15 He! das war ein Augenblick Miß! *(fällt ihr um den
Hals, herzt sie, bleibt stumm und ächzt unbeweglich. Er-
wachend.)* Ja Miß! sieh! es greift mich so an! – Und
da ein Bote: Todt deine Lady! Und da ein Bote: Verschwunden dein Harry! – Ja Miß! und dieses Haus
20 sollte Bushy haben! Nein, bey Gott nein! Adieu Kind!
weine nicht.
C a r o l i n e. Nicht weinen? dein Kind nicht weinen?
Lord Berkley geh jetzt nicht weg! Hier wirds so eng
mein Vater! *(die Hand aufs Herz.)*
25 B e r k l e y. Nein! Nein! Ich will dir die Tante und
Nichte schicken. Berkley ist ein guter Soldat, und wenn
er seine Späße getrieben hat, ists ihm gut. Adieu!
C a r o l i n e. *(allein.)* Wie wird das all noch werden?
o seine Schmerzen nehmen Ausbrüche die mich zittern
30 machen. Krieg da! und meine Thränen und Bitten vermögen nichts. Wohin denn ich? – Ich fürchte – ach des
Leidens so viel und noch fürchten. Und ewig dieses
Herzens Verlangen? *(nach dem Clavier)* Nimm mich
in deinen Schutz! Nur du verstehst mich, dein Ein-
35 klang, der Wiederhall meiner geheimen Empfindungen ist mir Trost und Erstattung. Ach jeder Ton, Er!
Er! *(spielt einige Passagen, endet plötzlich [20] und
fährt zusammen.)* Ja Er! *(in schwermüthigen Träume-
reyen versinkend.)*

Dritte Scene.

Louise. *(Tritt auf, tanzend und hüpfend.)* Guten
Morgen Miß! – ja sieh nur liebes Bäschen! habe keine
gute Laune. Ein Tag voller Vapeurs. Das ewige Gekeif
mit der Tante um die Cavaliers! Es ist nicht zum Aus- 5
stehn. »Er macht mir die Cour, Nichte! Er hat mir die
zärtlichste Dinge gesagt.« So geht das ewig fort. Ja
wenn Lady Kathrin nur bedächte, daß Winter, Winter, und Frühling, Frühling bliebe, trotz aller unserer
Kunst. Haben Miß unruhige Träume gehabt? Was 10
hängst du den Kopf? Was ist dir Kind?

Caroline. Nichts, Nichts – mein Vater –

Louise. Ist er störrisch? Ist er wild? Ja was wollt ihr
sagen. Wenn wir nur aus diesem abscheulichen Lande
wären. Nach Londen Bäschen! nach Londen! da ist der 15
Ort des Glanzes und der Herrlichkeit. *(sieht in Spie-
gel)* Für was bin ich schön hier? Für was dieses blaue,
spielende Auge? Ganz London würde davon reden.
Was nützen mir meine Talente, meine Lektüre, mein
Fran[21]zösisch und Italienisch? Herzen zu fangen, 20
das mein ich, wär unser Wesen. Hier! o ich vergehe.
Glaub mir, ich laß mich vom ersten Engelländer ent-
führen, der mir gefällt.

Caroline. Es ist dein Ernst nicht.

Louise. So ganz freilich nicht. Ich bin dir ja gut, und 25
überhaupt bin ich gut, wenn ich nur viele Liebhaber
zusammen hab, um meine Gewalt auszuüben. Aber
Liebchen, du fühlst selbst, daß wir nicht am Platze
sind. Wie viel meynst du, daß ich gegenwärtig Liebhaber zusammen hab? 30

Caroline. *(immer in Träumen.)*

Louise. *(im Gedächtniß mit lebhafter Aktion zusammen zählend.)* Ich kann ihrer doch nicht mehr als
sechse zusammen zählen, weil ich die halben und ver-
scheuchten auslasse. – Silly, der so lang und schwank 35
ist, und immer die Augen fest zuhält, wenn er mit mir

---

4 *Vapeurs:* frz., Mißlaunen. Nicht bei Adelung verzeichnet.
6 *Cour:* frz., Hof.

redet, als leimte sie mein Blick zusammen. Lezthin
stotterte er mir so vor, immer mit geschlossenen
Augen, und ich bohrte ihm mitlerweile Esel, die Tante
lachte, als wollte sie bersten, daß ers nicht merkte.
5 Und Boyet, der immer und ewig nichts anders sagt
als: »Miß! ich liebe Sie!« Just als wenn im Dictionair
der Galanterie weiter nichts stünde. Nicht einmal,
Miß! [22] ich liebe Sie zärtlich; oder zum Sterben,
oder so etwas. O, seine Sprache ist so kurz wie seine
10 Finger. Ich kann ihn allenfals zum Zwergen brauchen,
wenn sich einmal ein irrender Ritter hieher verirren
sollte. Toby –
C a r o l i n e. Wars nicht ein lieber guter Junge, Carl
Bushy?
15 L o u i s e. Ein braver Junge von feurigem Muth und
Sinn! – Den Hauptmann Dudley hab ich verbannt
Miß! Stell dir einmal vor – ich weiß nicht was der
Narr will. Vor einigen Tagen sagte er so recht weise:
»Wir Frauenzimmer hätten gemeiniglich weit weniger
20 Liebe, handelten mit weit weniger Liebe, als die Männer, und das wegen unsrer Weiblichkeiten.« Was will
der ernsthafte Narr damit?
C a r o l i n e. Ich weiß es nicht.
L o u i s e. Weiblichkeiten! denk doch! Weil ich etwa
25 verdrüßlich schien, daß er dir letzthin so was sagte –
ich verstunds nicht, aber er sagte es so, und sah so aus,
als fühlte er etwas dabey, das ich noch keinem meiner
Liebhaber abgemerkt hab. Ich bin nicht neidisch Base,
du bist sanft, empfindsam, lieb, gut, ich schön, wild
30 und launisch. – Und denn ist noch Stockley, den ich
blos um mich [23] leide, damit er Miß Tranch nicht
mehr besuche, denn die kann ich gar nicht ausstehen.

---

3 *Esel bohren:* höhnische Gebärde. Auch in Wagners »Kindermörderin« verwendeter Ausdruck (a. a. O., S. 62).
21 *Weiblichkeiten:* »1. Die weibliche Natur, das weibliche Geschlecht;
ohne Plural. 2. Weibliche Schwachheit, Fehler, mit dem Plural. 3. In
vielen Gegenden ist die Weiblichkeit ein anständiger Ausdruck der
Geburtstheile des andern Geschlechtes; daher man sich zu hüten hat,
daß bey dem Gebrauche der vorigen Bedeutungen keine Zweydeu-
tigkeit mit dieser entstehe« (Adelung Bd. IV, Sp. 1443).

Am Ende narr ich sie doch alle, und spiel sie herum
wie der Knabe den Kräusel, ihnen ist doch wohl dabey. Die Liebe muß man nicht kennen, sagt Tantchen,
bis man fünf und zwanzig Jahr alt ist, und dann hats
seine Ursachen. Und ich weiß auch nicht was das hei-   5
ßen soll, lieben.

C a r o l i n e. Du bist glücklich Base, ich weiß es auch
nicht; aber –

L o u i s e. Wenn sie mich nur amusiren, mir die lange
Weile vertreiben, meine Launen und Caprizen aus-   10
führen, ist's schon gut. Aber du weist so Liebe ist. –

C a r o l i n e. *(verwirrt.)* Wie heißen deine Bewunderer? –

L o u i s e. Ich hör die Tante husten.

Vierte Scene.

Lady Kathrin und Vorige.   15

K a t h r i n. O, zum Sterben ärgerlich! Schnupfen,
Husten, und so ein merkwürdiger Tag! Ja Ladys! –
Kommt doch geschwind und macht euch zurecht. – Die
Luft in diesem Lande ist mein [24] Tod. – Louischen,
du mußt dich besser zurecht setzen. Du siehst nicht so   20
ganz aus, wie du solltest.

L o u i s e. Was ists denn, Tantchen?

K a t h r i n. Das fühl ich doch hier im Herzen so recht
zum voraus. Drey Fremden sind angelangt.

C a r o l i n e. Ist das alles, Tante?   25

L o u i s e. Nicht genug?

K a t h r i n. Schöne Leute! o ein langer, wilder Bursche
dabey, ich konnt ihm kaum am Bart reichen. Er
fluchte und sah gen Himmel, als wenn er etwas so
recht tief fühlte. Ich sah eben hinaus. O Ladys, es ist   30
ein gutes Zeichen, wenn eine junge Mannsperson
flucht. Engelländer sinds. Sag mir doch Louischen, wie
seh ich heute aus? Engelländer sinds.

2 *Kräusel:* Kreisel. »Es wird gemeiniglich, aber unrichtig, Kräusel
geschrieben und gesprochen, indem es von Kreis und nicht von kraus
abstammet« (Adelung Bd. II, Sp. 1759).
10 *Caprizen:* frz., Launen.

L o u i s e. Und ich, Tantchen?

C a r o l i n e. Engelländer? Wie sieht er aus, Tante?

K a t h r i n. Sie werden uns Visite machen – ja wie – wenn ich grün mit rosenroth gienge?

5 L o u i s e. Es ist zu jung, zu alt, Tantchen. Kommen Sie, ich kann nie vor einer Stunde in so wichtigen Dingen zum Entschluß kommen. Wir [25] wollen Conseil mit Betty halten. Engelländer! o meine Engelländer!

K a t h r i n. Tugendhaft und sittsam Miß! Lauf doch
10 nicht so, ich komm ja außer Athem.

L o u i s e. *(beyseit.)* Weil sie nicht fort kann. Ha! Ha! *(faßt sie am Arm.)* kommen Sie Tantchen, wir jungen Mädchens springen und hüpfen. –

K a t h r i n. Böses Ding: *(gehn ab.)*

15 # Zweyter Akt.

Erste Scene.

Betty führt Wild, Blasius und La Feu auf.

B e t t y. Hier Mylords, belieben Sie zu warten, Myladys werden gleich die Ehre haben. *(geht ab.)*

20 L a   F e u. Gut, meine schöne Iris! *(sich umsehend.)* Ey! es hatt schon so was liebes, anlockendes im Hereintreten. Es ist einem doch ganz anders in einem Damen-Zimmer. Es schauert mir so anmuthig ums Herz. Was schneidst du vor Gesichter, Wild?

25 W i l d. Ich begreif mich noch nicht. So gut ist mir's, alle Gegenstände reden mit mir in die [26] sem Zimmer und ziehen mich an, und so erschrecklich elend, so erschrecklich ungewiß. Ich spring von Gedanken zu Gedanken, ich kann mich an nichts halten. Ach! dann nur, wenn
30 es ganz rein zurückkehrt das unendliche hohe Gefühl, wo meine Seele in Schwingungen sich verliert, in der

---

7 *Conseil:* frz., Rat.
20 *Iris:* Götterbotin in der griechischen Mythologie.

herrlichen Ferne ihr Liebesbild erblickt, in der Abend-
sonne, im Mondschein – Und ach! wenn ich denn auf
den schnellen Fittigen der Liebe hineil, und es schwindet, verlieret sich immer vor mir. – Ja ich bin elend,
ganz in den Gedanken lebend, ich bin elend! o mir!   5
ich glaubte in diesem andern Welttheil zu finden, was
dort nicht war. Aber hier ists, wie dort, und dort wie
hier. Gott sey Dank! daß die Einbildung die Ferne so
herrlich sieht, und steht sie nun am sehnlich erwünsch-
ten Punkt, wie der herum streifende Vagabond weiter   10
flüchtet, im sichern Glauben, dort werde der unruhige
Geist alles finden. So Welt auf, Welt ab, in zauber-
hafter, drängender Phantasie, und ewig das einerley,
hier wie dort. Wohl Geist! ich folge dir!

B l a s i u s. Traben die Centauren wieder vor deiner   15
Einbildung. – Ich bin wieder so gar nichts, mag so gar
nichts seyn. – Wild, es ist schänd[27]lich, was du dich
ewig mit Gespenstern herum treibst.

W i l d. Ich bitte dich – ich werde sie finden. –

L a F e u. Die Damen bleiben so lange!   20

W i l d. Hört! ihr wißt, wie ich bin. Wann die Damen
einen fatalen Eindruck auf mich machen, so denkt auf
eine Entschuldigung, ich zieh ab.

B l a s i u s. Und da hat man wieder seine Flegeley zu
entschuldigen. Geh! machs wie du willst. Ich bin gar   25
nicht gestimmt für Weiber, und doch muß ich mich
mit ihnen abgeben, weil sie meistens so wenig sind,
und ich gar nichts. – Du bist mir zum Ekel, Wild! mir
wär's lieb, wenn du mich eine Zeitlang ungeplagt
liessest.   30

W i l d. Fällt mirs ein, dich aufzusuchen?

B l a s i u s. Ich kann dich nicht ausstehen. Deine Kraft
ist mir zuwider, du drückst mich todt, und daß du
ewig nach Phantomen rennst – ich haß dich!

W i l d. Wie Du willst. Du liebst mich auch wieder.   35

B l a s i u s. *(ihn umarmend.)* Wer widersteht Dir? –
Junge! Junge! ich bin unbehaglicher wie Du. Ich bin

---

15 *Centauren:* Fabelgeschöpfe der griechischen Mythologie, zur
Hälfte Mensch, zur Hälfte Pferd.

zerrissen in mir, und kann die Fäden nicht wieder
auffinden das Leben anzuknüpfen. Laß! ich will
melancholisch werden; nein ich will nichts [28] werden. Du sahst mein edles Roß in Madrid den Karren
5 ziehen, ich weinte aus tiefer Seele, und Isebella wischte
meine Thränen. Herrlichkeit der Welt! ich kann keine
deiner Blumen mehr brechen. Ja wer diesen Sinn verlohren hat, wer dich verlohren hat ewige Liebe, die
du in uns alles zusammen hältst!
10 W i l d. Blasius, Du hast mehr als Du glaubst.
L a F e u. Wo die Damen bleiben? *(die Bücher durch-
suchend.)* Myladys Bücher machen mir grosse Hofnung
daß sie mit süsser Phantasie begabt sind. O die Romanen! o die Feenmärchen! Ach wie herrlich um all die
15 Lügen! Wie wohl dem der sich vorlügen kann!

Zweyte Scene.

Lady Kathrin, Louise, (treten complimentirend auf.
Verbeugungen von beyden Seiten.)

L a F e u. *(indem er sie erblickt)* Venus Uranie! Paphos
20 Hayne! *(zu Lady Cathrin.)* Reizende Göttin dieser
Insul! Ihr Anblick stimmt mein Herz zu Tönen der
Liebe, und meine Nerven klingen das lieblichste Con-
cert.
[29] K a t h r i n. Mylord! *(eine Verbeugung.)* Mylord!
25 *(coquetirend)* Fremde von Ihrem Werth machen uns
das traurige Leben hier, leicht und angenehm. Ich habe
die Ehre zu reden –
L a F e u. Du Blasius, sag doch wie ich heiße – das ist
mein Vormund Mylady!
30 B l a s i u s. La Feu, Mylady! *(zu Louise)* Miß ich
wünschte Sie nicht gesehen zu haben, wenigstens in
diesem Augenblick nicht. Ich bin so wenig –

---

19 *Venus Uranie:* Göttin der himmlischen Liebe im Gegensatz zur ›Venus Pandemos‹, der Göttin der sinnlichen Liebe. – Klinger gebraucht
im Gefolge seiner Rokoko-Kritik die französische Namensform, die
man sich vielleicht auch französisch ausgesprochen vorstellen muß.
19 *Paphos Hayne:* Venustempel im Hain zu Paphos.

L o u i s e. Ha! Ha! Mylord – Blasius – nicht recht?

B l a s i u s. So nennt man mich.

L o u i s e. Also Mylord Blasius, mir ist leid, daß Ihnen
mein Anblick so schwer fällt. Freylich Mylord – *(eine
spöttische Verbeugung.)* – Ha! Ha! Tantens Gegen-   5
wart macht den Herrn zum klingenden Instrument.
La Vache sonante! Ha! Ha! o das ist zum Sterben!
Nu Mylord so ernsthaft? –

B l a s i u s. Ich bin nicht lustig – Schön und dumm! o
mir!   10

W i l d. Hier halts der Satan aus! *(ab)*

K a t h r i n und L o u i s e. Aber warum geht Mylord
weg?

[30] L a F e u. Ich muß Ihnen sagen Mylady – Blasius
Du weißts ja.   15

B l a s i u s. Er hat Anfälle von Tollheit, Mylady's, und
wenns ihn überfällt, treibts ihn weg.

L a F e u. *(auf Kathrin zeigend.)* Und der Anblick dieser Göttin könnte ihn nicht aufhalten?

K a t h r i n. O Mylord – – – aber wie sehr bedaure ich,   20
ein so schöner Mensch, ein so starkes wildes Ansehn.

L a F e u. Aber ein toller Mensch. Denken Sie er will
in Krieg gehen.

K a t h r i n. Und Sie?

L a F e u. *(sich kniend.)* Hier ist meine Wahlstatt.   25

L o u i s e. *(verdrüßlich)* Nicht auszuhalten!

K a t h r i n. *(La Feu ernsthaft aufrichtend)* Das Knien
läßt Ihnen schön Mylord, vermuthlich deßwegen –

L a F e u. Ach! Sie richten auf mit einer Gottheit, mit
einer Größe – Vor Mylady, mag sich schon manches   30
Knie wund gekniet haben –

K a t h r i n. O Mylord! wenn man nur nicht unbemerkt
durchs Leben gegangen ist.

L o u i s e. *(ärgerlich und schläfrig.)* Wo sind Sie Mylord? Der andere Weltheil wird Sie noch besitzen?   35

---

7 *La Vache sonante:* Anspielung auf die von dem Bronzegießer
Myron (um 460 v. Chr.) geschaffene Kuh, die so naturgetreu dargestellt war, daß man glaubte, sie würde im nächsten Augenblick zu
brüllen beginnen. – Vgl. auch Anthologia Palatina IX, 713 ff.

29 *Gottheit:* ältere Form für ›Göttlichkeit‹.

[31] B l a s i u s. *(verdrüßlich und langweilig)* Mylady
Sie befehlen –

L o u i s e. *(eben so)* Mylord! Nichts –

K a t h r i n. Und Sie Mylord?

5 L a F e u. Ach hin! hin! in Liebe entzückt! Glückliches,
seeliges Schicksal das mich diese Bahn führte! Endlich
hat dein Grimm nachgelassen, wilder Unstern! und
ich fühle wieder neu das Zucken in meinen Adern –
Reizende Göttin! ich wünschte mir kleine, kleine
10 Mücken-Augen um alle ihre Reize und Schönheiten im
Detail zu durchschauen.

K a t h r i n. Welcher Ton! wie angenehm munter! –
Sind Mylord lange von London? o wenn Mylord etwas von London erzählen wollten!

15 L o u i s e. O von London! *(beyseit)* Die Leute sind nicht
zum ausstehn!

L a F e u. Ja Mylady von London, und ich fühle nur
was vor mir ist. London, Mylady! soll eine große
Stadt seyn. Ich weiß wenig von der Welt. Gebohren
20 bin ich in London. Komme von den Pyrenäen. O das
sind hohe, hohe Berge! Ach Mylady und meine Liebe
ist noch höher, wenn Mylady mich lieben könnten –

K a t h r i n und L o u i s e. Lieben? ha! ha!

[32] L a F e u. Kommt Ihnen das lächerlich vor, My-
25 ladys?

L o u i s e. Allerdings Mylord! Nein wir lieben nichts.

K a t h r i n. Still doch Nichtchen! der Unterschied bleibt
doch immer, und es kommt darauf an –

L a F e u. Ja reizende Mylady – das einzige was wir
30 haben?

L o u i s e. *(zu Blasius.)* Mylord träumen so immer fort.
Alle meine Munterkeit verläßt mich bey Ihnen.

B l a s i u s. Verzeihen Sie mir, ich bin so gerührt – Sie
sind schön Miß!

35 L o u i s e. Und Sie sehr unterhaltend.

B l a s i u s. *(nach langer Pause.)* Sie haben Langeweile.
Ich bedaure, daß ich Sie nicht besser unterhalten kann.
Mein Unglück ist das immer, da nichts zu seyn, wo
ich alles seyn sollte. Und ich liebe so stillschweigend,
40 Miß, wie Sie sehen daß ich würklich im Fall bin. –

L o u i s e. Lieben, Mylord? Was wollen Sie damit sagen? Stillschweigend lieben! Ach der Langeweile! Liebt Lord Wild auch so? Nicht als ob ich neugierig wäre – ich mags nicht wissen – Wenn Sie nur munter wären!

[33] B l a s i u s. Ja munter! (ich ennuire mich zum Sterben. Mein Herz ist so kalt, so todt, und das Mädel ist so schön und lustig. –)

L o u i s e. Ich kriege Vapeurs – Wollen Mylords den Thee in Garten nehmen? Das Zimmer bekommt Ihnen vielleicht nicht.

B l a s i u s. Wies Ihnen beliebt.

L o u i s e. O Himmel! *(schlägt ihn mit dem Fächer.)* werden Sie doch lebendig!

B l a s i u s. Ich bin noch von der See – und habe – habe –

K a t h r i n e. *(die Zeit über mit La Feu still gesprochen.)* Nun Mylord?

L a F e u. Ja wie ich Ihnen sage, kommen Sie nur. O meine Göttin, ich bin vor Ihren Augen wieder alles geworden. Wer kann so viele Liebenswürdigkeit sehen, ohne daß nicht alle Fasern am Leibe lebendig werden. Ja meine Göttin! ich will Ihnen viel, viel von den Schwingungen der Liebe erzählen, die meine Phantasie über die Sonne jagen. Und Mylady! *(küßt sie.)* ich liebe Sie!

K a t h r i n e. *(bey Seite)* Das ist curios! ich versteh ihn nicht, und gefällt mir doch. *(laut)* Mylord, Sie sind –

L a F e u. O Sie! – mich deucht wir sympathisiren.

[34] K a t h r i n e. Was heißt das sympathisiren?

L a F e u. Gott behüte! So weit verstehe ich mich nicht Mylady, zu wissen was die Worte heißen.

K a t h r i n e. Was Sie boshaft sind Mylord! *(alle ab.)*

---

28 *sympathisiren:* »Die Neigung zu einem Dinge, besonders so fern sie auf dunkle Begriffe oder uns unbekannte Gründe beruhet, im Gegensatze der Antipathie; in welchem Verstand man auch leblosen Dingen eine Sympathie gegen einander zuschreibt« (Adelung Bd. IV, Sp. 510).

Dritte Scene.

Miß Caroline. *(allein.)* Waren dies die Engelländer? Ferne, ferne, ewig ferne! – Gut daß sie weg sind.
(in stiller Schwermuth verlohren.) Ja so, just so sah er
5 aus, wie er da eben aus meinen Augen hervortritt, und
sich vor mich hinstellt. *(nach einem Ort hinreichend.)*
O meinem Herzen so lieb! – Er bleibt so lange – Ach!
ich werde Carl Bushy nicht mehr sehen, darf Carl
Bushy nie mehr sehen! Und seh ich ihn nicht? *(be-*
10 *geistert.)* Meine Augen sehen nach ihm, mein Herz
schlägt nach ihm, und es haben ihn meine Augen, und
es hat ihn mein Herz.

Vierte Scene.

Wild. *(tritt auf ohne anzuklopfen, den Huth durch die*
15 *ganze Scene aufbehaltend, fährt zurück da er die Lady*
gewahr wird.)

[35] **Caroline.** *(erschrocken.)* Wie? Wer?
Wild. *(mit gehefteten Blick und ganzer Seele sie an-*
schauend.) Vergeben sie Miß, ich habe mich in der
20 Nummer geirrt.
Caroline. Mylord! ein Irrthum der in einem Gast-
hofe leicht möglich ist. *(ihn unruhig anschauend.)*
Wild *(verworren, verwildert, forschend, an ihren*
Augen hangend.) Mylady, darf ich? – Mylady – ja
25 ich gehe – gehe ja schon – *(immer näher tretend)*
aber Mylady – ich bleibe ja hier. – Und wenn Sie
eine Engelländerin sind wie man mir gesagt hat, wenn
Sie –
Caroline. *(die sich zu fassen sucht.)* Mylord, darf
30 ich bitten, mit wem habe ich die Ehre zu reden? Mein
Vater wird sich sehr freuen einen Landsmann zu sehen.
Wild. Ihr Vater? Miß! Haben Sie einen Vater? – Ach!
hier! hier! Mir ist so gut, so verwildert gut. – Ja Mylady, ich bin ein Engelländer – ein Unglücklicher –
35 heiße Wild, und ist mir – ja Mylady in diesem Augenblick. –

C a r o l i n e. *(leidend.)* Wild? – Sind Sie nicht aus
Yorckshire? Ihr Gesicht – Ihr – Ihr – ja Mylord aus
Yorckshire, meyn ich, müßten Sie seyn.

[36] W i l d. Aus Yorckshire? Nein! – Mir schlägts so in
der Seele – ach hier find ich was ich in der weiten   5
Welt suchte. *(ihre Hand faßend.)* Sie sind ein Engel
Mylady, ein herrlich, gefühlvoll Geschöpf. *(zum Himmel sehend.)* Hast du mir noch solch einen Augenblick
aufbewahrt! Lassen Sie mich's sagen! Ich fühl's so tief
– Ihre Augen – ja Ihre Augen voll Seel und Leiden   10
– und dieses Herz hier – zerrissen und tief! tief unglücklich. Ich reise hierher um mich in der nächsten
Bataille todtschießen zu lassen – und – und – will mich
todtschießen lassen.

C a r o l i n e. So verworren – o Sir, leiden Sie?   15

W i l d. Ja leider! – o des Menschen Leiden ist so man-
nigfaltig – oft so wunderbar – und dabey – Myladys
Name?

C a r o l i n e. Mein Vater, Mylord, ist Lord Berkley.

W i l d. *(fährt zusammen.)* Lord Berkley! – das wars –   20
das lebendige Bild!

C a r o l i n e. Was fällt Ihnen das so auf? Kennen Sie
den unglücklichen Lord Berkley?

W i l d. Kennen? Nein! – und sie Jenny Caroline
Berkley?   25

[37] C a r o l i n e. Ja Sir! *(sich umsehend im äußersten
Kampf.)* O Sir! Sir! wer sind Sie?

W i l d. *(vor ihr kniend ihre Hände faßend.)* Nein Miß
– ich bin – meine Zunge ist so schwach, meines Herzens so viel – ich bin – Miß Berkley – *(geschwind auf-   30
springend.)* der Glückliche der Sie gesehen, der Sie
durch alle Welten – *(nach der Thüre.)* der unglückliche –

C a r o l i n e. Carl Bushy! – Mein Carl!

W i l d. *(an der Thür.)* Ach hier! hier! *(seine Arme nach   35
ihr ausstreckend.)*

C a r o l i n e *(auf ihn zueilend.)* Carl Bushy und verläßt mich? – bist du? bist du? Nur dies Wort, ach! und
laß sich denn meine Seele lösen!

W i l d. *(sie umfaßend.)* Ja ich bins! Jenny! bin Carl   40

Bushy! bin der glückliche – Jenny! – Ach! habe dich
gefunden!

C a r o l i n e. Laß mich doch zu mir kommen! – die
Freude – die Angst – du bist Carl – es ist mir – doch
5   Carl Bushy!

W i l d. Was erschrickst du? Was tödtest du die Freude
in meinen Gebeinen, die mich durchbebt? – Ich bins,
der dein Bild im Herzen, dich und deinen Vater in
allen Winkeln der Erde suchte.

10   [38] C a r o l i n e. Meinen Vater! Meinen Vater! Rette
dich! Er haßt Bushy und seinen Sohn. Rette dich!
fliehe! Ach mich verlassen! fliehen! und habe dich
noch nicht gesehen. –

W i l d. Ich? Jenny! fliehen? und ich bin hier in deiner
15   Gegenwart, hänge hier an deinen süßen Augen, und
kehrt so eben die erste Freude meines Lebens zurück
– fliehen? Wer reißt mich weg von hier? Alle Wildheit
meines Sinnes ergreift mich! Wer reißt mich weg von
hier? Wer reißt Carl Bushy von Miß Berkley? Laß
20   deinen Vater kommen! bist du nicht mein, warst mein
von den ersten Jahren der Kindheit? Wuchs mit dir
auf, unser Herz, Seel und Wesen vereinigte sich. Warst
meine Braut, eh du die Bedeutung des Worts verstun-
dest. – (kalt.) Ich bleibe hier, Miß! ich bleibe hier. –

25   C a r o l i n e. Du machst mir so bang.

W i l d. Soll ich gehen? – Jenny! Jenny ich habe dich ja.

C a r o l i n e. Laß mich doch einen Augenblick nach
dem Balkon!

W i l d. Gut, Miß! ich bleibe hier. Nichts bringt mich
30   weg von hier. Der Himmel hat ein Band um uns ge-
schlungen, das keine menschliche Hand [39] trennen
kann. Hier warte ich den Feind deines neuen Vater-
landes ab, warte meinen Feind ab.

C a r o l i n e. (sanft.) Nur diesen wilden störrischen
35   Blick nicht! – Versprich mir deinen Namen zu verbergen.

W i l d. Was du wilst, o Jenny! Fühltest du einen
Augenblick die Qualen, die dieses Herz durch die Welt
jagten! Ich habe mich abgearbeitet, ich wollte mich zu
40   Grunde richten. Und ach! diese Stunde noch übrig,

mir diese Stunde noch übrig! und doch alles Elend?
Aber ich will nichts sinnen und fühlen mehr. Ich habe
dich ja, und Trotz sey geboten! Trotz sey geboten,
dem Starrkopf!

C a r o l i n e. Was diese Verzweifelung, dieses schreck-   5
liche unbehagliche, dieser Grimm in deinen jagenden
Augen?

W i l d. Dein Vater! ja dein Vater! mein Vater – beyde
zu Grunde. Miß! ich laß dich nicht. Es ergreift mich
so ungestüm – ja Jenny du fliehst weg mit mir, ver-   10
lässest dieses Land mit mir! *(sie umarmend.)*

C a r o l i n e. Laß mich doch!

W i l d. Lauscht dein Vater auf mein Leben? – o es ist
mir so wohl in dem Tumult. – Meine beste!

[40] C a r o l i n e. Einen Augenblick Carl! – wenn mein   15
Vater käme!

W i l d. Und noch Haß? Immer noch der rachgierige
Berkley! Und meine liebende, süsse, kleine Miß! Gott
sey Dank! der mir bey diesen ungestümen Sinn, so
viel seiner liebsten Gabe zugetheilt hat. Ja Miß! nur   20
die Liebe hat diese Maschine zusammen gehalten, die
durch ewigen, innern Krieg ihrer Zerstörung jede
Stunde so nah war.

C a r o l i n e. Guter Carl! du bist doch immer der wilde,
gute Junge. So dacht ich dich mir. O die Jahre! die   25
Jahre, die so hingingen! Glaubst du wohl, ich war
dreyzehen Jahre, du funfzehen, wir wurden von einander gerissen, ich in diesen andern Welttheil, kam
her, du warst da, ja du warst da, und wo ist der Ort
in der Welt, den du nicht ausfülltest?   30

W i l d. Und du! was denn nun? Was alles das mich
plagte! Du bists, was ich in der Welt suchte und be-
gehrte, dieses Herz auszusöhnen. Ich fand dich, fand
dich in Amerika, wo ich den Tod suchte, find Ruhe
und Seligkeit in diesen süßen Augen. *(umfaßt sie.)*   35

---

21 *Maschine:* »Ein lebendiges Wesen, welches nur durch mechanische,
oder fremde, von außen her empfangene Ursachen wirkt, nicht nach
eigenen vernünftigen Einsichten handelt. So nennt man einen Menschen
eine Maschine, welcher bloß nach fremdem Antrieb ohne eigene Prüfung,
Wahl und Einsicht wirkt und handelt« (Adelung Bd. III, Sp. 91).

Und so habe ich dich, so habe ich dich, Miß Berkley!
Und halte dich, und [41] was Wild hält – ich kann
deinen Vater erwürgen, dich zu besitzen. Aber so ists
Wonne, so ists sanft. *(küßt sie.)*

5 C a r o l i n e. *(sich loswindend.)* Erschrecklich! Wild!
Carl! wo ist der Blick, der mir Leben giebt für dies
Wort?

W i l d. Hier Miß! *(küßt sie.)*

Fünfte Scene.

10

Berkley. Vorige.

B e r k l e y. Hm! Morgen – – He! was da? was ist das?
W i l d. *(fest.)* Ich küßte Mylady.
B e r k l e y. Und du Miß, liessests geschehen?
C a r o l i n e. Mylord!
15 B e r k l e y. *(bitter.)* Adieu Miß!
W i l d. Mylord, wollen Sie mich beleidigen? Ich bitte
Sie Miß, bleiben Sie. Unmöglich kann Lord Berkley
einen Menschen beleidigen, den er nicht kennt. Ich
bin ein Engelländer, heiße Wild, und wollte Sie besu-
20 chen.
B e r k l e y. Brav, mein Herr!
W i l d. Ich habe gelitten in der Welt, habe gelitten und
meine Sinnen sind etwas wirr gewor[42]den. Ungestüm bemeistert sich oft meiner. Ein Unglücklicher
25 findet in der Welt so wenig Theilnehmung, ich fand
sie bey Miß – Mylord und wo man das findet – ich
küßte die Miß, und würde es gethan haben, wenn ihr
Vater gegenwärtig gewesen wäre.
B e r k l e y. So jung und unglücklich? Sehn Sie mich an!
30 Mich, Mylord!
W i l d. Ja, Mylord, so jung und unglücklich, und unglücklicher, da es an Geduld fehlt, da das Gefühl so
stark ist. Es hat mich bitter gemacht, und nur diesen Augenblick fühlte ich, daß noch Freude in der
35 Welt ist.
B e r k l e y. Ich könnte mich für Sie interessiren. Ich
bitte Sie Sir, setzen Sie sich in ein ander Licht. Diesen

Zug und diesen Zug in Ihrem Gesichte kann ich nicht
ausstehn.

C a r o l i n e. O mein Vater, Mylord leidet so viel.

B e r k l e y. Du könntest uns verlassen. Ich seh Mylord
an, daß man aufrichtig mit ihm seyn kann. All sein   5
verwildertes Wesen spricht so herzlich.

C a r o l i n e. Wenn Sie befehlen – *(Wild an der Thür
bittend zuwinkend.)*

[43] B e r k l e y. Und wie ich sage, Mylord – Sie müssen mir vergeben. Ich hatt einen Feind, einen gräß-   10
lichen Feind, der mich in die schrecklichste Lage ver-
setzte, worin ein alter Mann nur kommen kann, und
sahe Sie Mylord, wenn ich ihn ertapp wo's sey, bin ich
gezwungen ihn zu martern, bis ich diese Züge, die ich
an Ihnen tadle, aus seinem Gesicht verschwinden seh.   15
Sie scheinen ein braver Mensch zu seyn, weiß Gott!
ich thu mir Gewalt an, Ihnen nicht um den Hals zu
fallen, und Sie wie einen Sohn zu herzen. Aber auch
einen Sohn verlohr ich durch ihn. Und also Mylord,
müssen Sie mir vergeben.   20

W i l d. Wie Sie wollen, wie Sie wollen.

B e r k l e y. Ja in dieser Unruhe, in diesem verzweifeln-
den Ton, worin Sie dies sagen, ich verstehe; und wie
sich Blicke durchkreuzen, die einem das Herz abgewin-
nen könnten. Nur Geduld! man gewöhnt sich. Und   25
wenn Sie unglücklich sind, und Galle haben, werden
wir schon einig.

W i l d. Daß ich diese habe, Mylord – aber wozu das
all? Nun meine Bitte an Sie! Könnten Sie einem Menschen der mir gleich sieht, erlauben, als Volontair die   30
Campagne gegen Ihre Feinde mitzumachen?

[44] B e r k l e y. Von Herzen gerne. Seyn Sie willkommen! Ich will gleich zum General gehen. Kommen Sie
doch mit!

W i l d. Ich bin deswegen gekommen, und je eher, je   35
besser.

B e r k l e y. O Mylord! auf so einen Tag hab ich lang
geharret. Mir ist nicht besser, als ein Canonenfeuer.

W i l d. Mir wirds gut werden, hoff ich.

B e r k l e y. Aus welcher Gegend von England sind Sie? 40

W i l d. Aus London.

B e r k l e y. Nun dann, Lord Berkleys Schicksal müssen
Sie wissen.

W i l d. Ich hab davon gehört.

5 B e r k l e y. Nur nicht kalt drüber weg, junger Mensch.

W i l d. Bin nicht kalt, Mylord, nur grimmig über die
Menschen, die so vieles anders haben könnten, die sich
ewig scheren.

B e r k l e y. Hast du Sinne? Mensch! Hast du Herz? Ich
10 bin Lord Berkley, verfolgt, verdrängt, ausgeworfen,
um Weib und Sohn gebracht. Hast du Herz, junger
Mensch, oder hat dich eignes Elend stumpf gemacht?
nun denn, so strecke [45] dich aus und seegne die Welt!
und kennen Sie Bushy?

15 W i l d. Nein, Mylord!

B e r k l e y. Haben Sie von ihm gehört? Ich bitte Sie,
wie gehts ihm? Elend, kümmerlich?

W i l d. Glücklich, Mylord!

B e r k l e y. Schämen Sie sich! glücklich? haben Sie das
20 Mädchen gesehn? Sehn Sie meine graue Haare, meine
stirre Augen! Glücklich?

W i l d. Hat Haus und Hof verlassen müssen. Ins Königs Ungnade gefallen, ist unsichtbar geworden.

B e r k l e y. Tausend Dank, Mylord! tausend Dank! he,
25 Bushy! so bin ich in etwas gerochen! Gehts ihm recht
kümmerlich? Es kann ihm nicht elend genug gehen.
Nicht wahr? er hat kein Haus, das ihm Obdach gebe,
keine Hand, die sein Alter pflegte?

W i l d. Er ist glücklich, Mylord!

30 B e r k l e y. Ich bitte Sie, gehn Sie aus meinem Zimmer.
Sie sind ein Freund von ihm, und mein Feind. Haben
seine Sprache, seine Mienen – und bey Gott! ich seh
Bushy in Ihnen. Gehn Sie doch, wenn Sie einen alten
Mann nicht aufbringen wollen.

35 [46] W i l d. Glücklich, daß ers nicht achtet. Glücklich in
seinem Sinn, meyn ich.

21 *stirre*: vielleicht durch einen Druckfehler entstellte Form des
Wortes. Bei Adelung findet sich: »stier, welches so wie stierig, nur
in einigen gemeinen Sprecharten der Hoch- und Oberdeutschen für
starr üblich ist« (Bd. IV, Sp. 373).

B e r k l e y. Das sollt er nicht seyn. Seine Haare sollten
ihm zu stechenden Schlangen werden, und die Fasern
seines Herzens zu Scorpionen. Sir! er sollte nicht schlafen, nicht wachen, nicht beten, nicht fluchen können,
und so wünschte ich ihn zu sehen. Dann wollte ich   5
großmüthig seyn, ihm eine Kugel vor dem Kopf geben, sehn Sie! das hat er verdient, Ewigkeit Qual zu
leiden; aber großmüthig wollte ich seyn, Sir, meiner
Miß zu Gefallen. Hätten Sie meine Lady gekannt,
Mylord, die aus Schmerz starb, *(Wilds Hand anfas-*   10
send, der sie bey den letzten Worten zurückzieht.) ich
weiß, Sie würden mit mir Ihre Hände aufheben und
Bushy und seinen Nachkommen fluchen. Aber sagen
Sie mir, Mylord, wie gehts Bushys Sohn?
W i l d. Zieht in der Welt herum ohne Ruhe. Elend   15
durch sich, elend durch das Schicksal seines Vaters.
B e r k l e y. Das ist gut, Mylord! Das ist gut! Glauben
Sie, daß er noch lebt?
W i l d. In Spanien jetzt.
B e r k l e y. Aber ich habe Hoffnung, daß sein Vater   20
ihn nie mehr sehen soll. Habe Hoffnung, daß [47]
der junge Bushy durch Liederlichkeit seinen Körper
ruiniren, und in der besten Jugend hinwelken soll. Er
soll ihn nie mehr sehen. Mylord, die Freude wäre zu
groß einen Sohn wieder zu sehen. Denken Sie, seinen   25
Sohn wieder sehen, was das einem seyn muß, ich
könnte rasend werden. Wenn ich meinen Harry, meinen süßen störrischen Jungen so manchmal in Gedanken vor mir auf seinem Klepper reiten seh, und Vater!
Vater! rufen und klatschen – Er soll ihn nie mehr   30
sehen! *(Wild, der abgehen will.)* Bleiben Sie doch noch,
Mylord! Aber sagen Sie mir, hat Bushy Vermögen
davon gebracht? Mylord, wenn mir einer ewig von
Bushys Unglück erzählte, ich wollte in der Welt nichts
thun, als zuhören. Hat er davon gebracht?   35
W i l d. Genug, Mylord, um in seinem ruhigen Sinn zufrieden leben zu können.
B e r k l e y. Das ist mir leid. Ich wünschte ihn bey mir
um ein Pfund betteln zu sehen. Glauben Sie daß ichs
ihm gäbe?   40

W i l d. Warum nicht Mylord? Er gäbe Ihnen was er
hat.
B e r k l e y. Meynen Sie? Nun, wenn meine Miß dabey
stünde, vielleicht, vielleicht auch nicht. O es ist ein
5 erschrecklicher Heuchler, der alte Bushy. [48] Ich
fürcht, er brächte mich um ein Pfund mit seiner heuch-
lerischen Miene. Ist er nicht ein Heuchler, Mylord?
W i l d. Nein, wahrhaftig nein!
B e r k l e y. Was wissen denn Sie! Freylich müssen Sie
10 seine Partie nehmen, da Sie seine Nase tragen.
W i l d. Mylord, ich gehe schon.
B e r k l e y. Vergeben Sie mir doch! Sagen Sie mir nur
noch, wo ist der neidische Hubert hingekommen?
W i l d. Begleitet den alten Bushy.
15 B e r k l e y. Dank Sir! Elend?
W i l d. Findt Stof genug für seinen rauhen Neid, und
befindet sich wohl in seinem Humor.
B e r k l e y. Behüte Sir! das verbitt ich mir. Er muß so
viel leiden als Bushy. Ich bitt Sie, lassen Sie ihn leiden!
20 Lügen Sie mir vor, er litte!
W i l d. Nun Mylord, ich muß zu meinen Freunden. Sie
besorgen doch, daß ich enrollirt werde?
B e r k l e y. Ja Mylord, leben Sie wohl. Sie haben mir
viele Freude gemacht. Kommen Sie bald zu mir, die-
25 sen Abend noch zu Tische. Ich könnte Sie fast lieb
haben. *(Wild ab.)* Nun ist [49] mirs wohl. Ha! Ha!
Bushy und Hubert, liegts schwer auf Euch? Gesegnet
sey der König! – Geh doch! Es macht mir recht kindische Freude. Der Mensch da ist mir nur halb recht.
30 Er hat so was fatales und starkes in seinem Wesen,
just wie Bushy. Das weiß der Teufel! – Ich muß doch
meiner Miß die Freude erzählen. *(ab.)*

Dritter Akt.

Erste Scene.

Einbrechende Nacht.

(Zimmer der ersten Scene des ersten Akts.)

Blasius. La Feu.   5

B l a s i u s. Wild ist eben so wunderlich, so außerordent-
lich freudig; fährt herum, reicht nach dem Himmel,
als wollte er ihn herunterziehen. Hab ihm Thränen
auf den Augen glänzen sehen. Was mag der Mensch
haben? Ich kann ihn nicht zum bleiben bringen. Mir   10
ist kalt.
L a   F e u. Lieber, lieber, Blasius, mir ist gar heiß.
[50] B l a s i u s. Du bist das ewige Fieber.
L a   F e u. Recht das ewige Fieber, wenn ich nicht ersticken will. Ich bin wieder verliebt durch den ganzen   15
Körper, durch Adern und Gebein, durch die ganze
Seele. Mir ist so heiß, ich fürcht noch aufzufliegen wie
eine Bombe, und möchte sich denn mein reines Wesen
erheben, und in den Busen der reizenden Lady nieder-
lassen!   20
B l a s i u s. Der alten Lady? La Feu!
L a   F e u. Alt? Alt? Was ist alt? Nichts ist alt, nichts ist
jung. Ich kenne keinen Unterschied mehr. O ich bin
auf dem Punkt, wo's einem anfängt wohl zu seyn.
Glaubst du wohl daß ich alles vergessen hab, als hätt   25
ich aus dem Lethe getrunken. Mich plagt nichts mehr.
Ich kann die Krücke nehmen und betteln gehen. Es
muß einem endlich so werden.
B l a s i u s. O säß ich noch im Thurm!
L a   F e u. Es kann einem nicht übel seyn im Thurm. O   30
thäten sie mir den Gefallen und schmissen mich hinein!
Ich wollt mich so seelig träumen, so glücklich! träumen

---

26 *Lethe:* in der griechischen Mythologie ein Fluß der Unterwelt,
dessen Wasser die Erinnerung der Verstorbenen auslöschte.

muß der Mensch lieber, lieber Blasius! wenn er glücklich seyn will, und nicht denken, nicht philosophiren.
Sieh! Blasius, in meiner Jugend war ich ein Poet, hatte
glühende, [51] schweifende Phantasie, das haben sie
5   mir so lange mit ihren eißkalten Waßer begoßen, bis
der letzte Funken verlosch. Und die häßliche Erfahrung, die scheußliche Larven von Menschengesichtern
all, wenn man alles mit Liebe umfassen will! Da ein
Hohngelächter! da ein Satan! – Ich stund da wie ein
10   ausgebrannter Berg, gieng durch Zauber-Oerter, kalt
und ohne empfangendes Gefühl. Das schönste Mädel
rührte mich eben so wenig, wie die Fliege die um den
Thurm schwirrt. Um des Elends loß zu werden, be-
stimmte sich meine Seele anders zu fühlen, und zu
15   sehen wo ihr kalt bleibt. Alles ist nun gut, alles lieblich
und schön!

B l a s i u s. Säß ich im Thurm wieder, wo Spinnen,
    Mäuse und Ratten, meine Gesellschaft ausmachten!

L a F e u. Saßest du denn im Thurm?

20 B l a s i u s. Freylich, freylich. In einem hübschen Thurm,
    und sah durch ein Loch das nicht größer war als ein
    Auge. Mit einem Auge nur konnt ich Licht sehen. Da
    guckte ich bald mit diesem, bald mit jenem heraus, um
    nicht Lichtscheu zu werden. Da kriegt der Mensch
25   Empfindungen, La Feu! da schwillt das Herz und [52]
    dann dorrt das Herz – und versiegt der Mensch. Ich
    konnte dir einen ganzen Tag auf einen Fleck sehen
    – und sehen – *(starr und weg.)* He was? In Madrid,
    La Feu, und in London *(bitter)* gepriesen sey das
30   Menschengeschlecht! he! sie meintens gut mit mir. Ich
    war der ehrlichste Kerl von der Welt.

L a F e u. Das war dein Fehler, lieber, lieber Blasius.

B l a s i u s. In Madrid thats die Inquisition wegen mei-
    ner Equipage. Und in London, weil ich einen Kerl
35   erschoß, der mich um mein Vermögen brachte, und mir
    meine Ehre dazu rauben wollte.

L a F e u. Ja Blasius! lieber Blasius! erschießen muß der
    Mensch nichts.

---

34 *Equipage:* frz., Ausrüstung; Bedienung.

B l a s i u s. O wenn dann nur die Gefühle des Menschen
ein Ende nehmen wollten!

L a F e u. Wie stehst du mit der Lady?

B l a s i u s. Laß mich gehen! ich hab mich ennuirt. Sie
ist lustig und schön, und so kalt wie Schnee, und
scheint so keusch, wie Dianens Nachthembd. Sie schert
einen, ich bin todt und schläfrig *(gähnend.)* Gute
Nacht Donna Isabella! O säß ich einmal wieder zu
deinen Füßen, Gütigste! *(schläft ein.)*

[53] L a F e u. Ich muß vor der Lady Fenster Wache
halten diese Nacht. Es ist eine gar liebe reizende Lady,
zu der man alles sagen kann, und die einen versteht
ehe man spricht. Ich will doch einmal ein Feenmärchen
schreiben.

Zweyte Scene.

W i l d. *(in Uniform tritt auf)* Wie ists euch?

L a F e u. Gut! Gut! Wild. Blasius schläft, und ich träume. Ich muß doch Verse an Lady schicken.

W i l d. Liebster La Feu! *(umfaßt ihn.)* Liebster Blasius
(umfaßt ihn.)

B l a s i u s. He was ist dann? Hat denn der Mensch nie
Ruh?

W i l d. Mir ist wohl worden. O meine Lieben! mir ist
wohl worden.

B l a s i u s. Wohl bekomm dirs, mir ists weh! *(schläft
wieder.)*

W i l d. Nun so behüt Euch der Himmel, ich will meine
Seele in die Lüfte ausgießen *(ab.)*

[54]   Dritte Scene.

See-Kapitain Boyet. Wirth. Vorige.

W i r t h. Was befehlen Sie, Mylord!

K a p i t a i n. Nichts! Nichts als daß Sie weggehen sollen.

L a F e u. *(sitzt und schreibt in Extase.)*

K a p i t a i n. *(zu seinen Leuten.)* Geht ihr alle beyseit!
    Kleiner Junge bleib hier! Nu süßer Knabe!

M o h r. Rauher Capitain, was willst du?

K a p i t a i n. Willst du dich noch für mich todtschießen
5   lassen?

M o h r. Hier steh ich schon, guter Lord. Du hast mir
    aber weh gethan! Bey den Göttern! Du bist manchmal
    so toll wie der Tyger, du Seekrebs! – Sieh, auf meinem
    Rücken liegen Beulen wie meine Faust, harter Lord!

10 K a p i t a i n. Weil ich dich lieb hab, Affe!

M o h r. *(seine Stirne küßend.)* Schinde mich! zieh mir
    die Haut übern Kopf, wilder Lord! bin dein Junge,
    bin dein Affe, dein Soley, dein Hund. *(sich um ihn*
    schlingend.) Hast meinem Vater das Leben und Frey-
15   heit gegeben – *(Kapitain kneipt ihn.)* O weh, was
    kneipst du mich!

[55] K a p i t a i n. Hab dich lieb. Willst du Cadet seyn,
    Junge?

M o h r. O Lord! Lord! mir einen Degen, und stell dich
20   hinter mich, wenn dein Feind kommt. Guter Lord!
    Tygerthier! toller Lord! mein Blut im Leib hat dich
    lieb, und klopft unter der Haut.

K a p i t a i n. Zuckerrohr von einem Mohrjungen! Willst
    du Schläge haben?

25 M o h r. Willst du geschmeichelt haben? Soll ich deine
    Wangen streichen?

K a p i t a i n. Hast du die Schiffe gesehen die vorbey
    segelten?

M o h r. Ja Lord. Warum wagtest du dich?

30 K a p i t a i n. Nicht zu streichen vor Ihnen. Ihnen unter
    die Nase zu lachen und das letzte wegzukapern.

M o h r. Ach kriegtest du doch einen Kanonenschuß, und
    der Matrose und Soldat todt.

K a p i t a i n. Füll meine Pfeife! Wer wird darüber

---

13 *Soley:* bisher ungedeutete Namensform.

17 *Cadet:* »ein junger von Adel, welcher zu Kriegsdiensten gebildet
wird [. . .] Das Franz. Cadet bedeutet eigentlich einen jüngern Bruder. Wird es von jungen Edelleuten gebraucht, so bezeichnet es
solche, welche sich freywillig und ohne Sold unter die Armee be-
geben, die Kriegskunst zu erlernen« (Adelung Bd. I, Sp. 1292).

reden? Todt Junge, todt, das ist all nichts. Fürchtst du
dich fürm Tod?

M o h r. Wenn du lebst – ja. Ich wollte gern bey dir
seyn.

K a p i t a i n. Jezt wollen wirs einmal hier versuchen.   5
Der Tod fürcht sich vor mir. Zehen Jah[56]re gefah-
ren und keine Wunde, außer von dem Schurken von
Schottländer.

M o h r. Wenn die Mütter und Väter alle kämen, die du
kinderlos gemacht hast. –   10

K a p i t a i n. Sanfter Junge! Du taugst für die See
nicht. Halt meine Pfeife! Stell mir einen Stuhl unter
die Füsse! *(sieht sich um.)* He wer ist denn da? Junge,
scher mir doch die Leute ein wenig. Du bist so müßig.
Ich bitt dich Knabe, zopf den Schläfer dort an der   15
Nase, ich kann niemand schlafen sehn, bis ich ruhig
bin. Und der Schreiber dort, der so um sich fährt –
plag ihn! *(Der Mohr zupft Blasius an der Nase. Hält
dem La Feu von hinten die Feder, als er eben schreiben
will.)*   20

L a F e u. Lieblich strahlt dein Auge! – he! he!

B l a s i u s. Hm! Flegels alle!

K a p i t a i n. Meine Herren, ich wollte Bekanntschaft
mit Ihnen machen. Sind Sie von der Armee?

B l a s i u s. Nichts bin ich. *(schläft ein.)*   25

K a p i t a i n. Das ist viel. Und Sie?

L a F e u. Alles, alles.

K a p i t a i n. Das ist wenig. Kommen Sie, Herr Alles!
wir wollen uns ein wenig baksen, daß meine Gelenke
in Ordnung kommen. *(pakt ihn an.)*   30

[57] L a F e u. O weh, du Centaur! das ist nichts für
die Phantasie – *(setzt sich nieder.)* Lieblich strahlt dein
Auge! Die dumme Reimen! Auge, lauge, brauche,
sauge. Aus denen Lieb ich sauge. Ja so –

K a p i t a i n. Junge, laß mir keinen Menschen ruhig!   35

15 *zopf:* Dialektform für ›zupf‹.
29 *baksen:* vielleicht durch einen Druckfehler entstellte Form des
Wortes ›bakern‹, »welches nur in einigen gemeinen Mundarten üblich
ist, wo es so viel als klopfen bedeutet. Daher Baker, eben daselbst,
ein Hammer« (Adelung Bd. I, Sp. 695).

und fürchte dich nicht. Je toller du's machst, je besser.
Zopf mir den Schläfer, Knabe! *(der Knabe thuts.)*

B l a s i u s. Flegel! Esel! Wild! *(schlägt um sich.)* Wild!
wenn du nicht ruhig –

5 M o h r. Einen Schlag! einen Schlag!

K a p i t a i n. Wild! mein Herr! Wo ist er? geschwind!

B l a s i u s. Was weiß ich?

K a p i t a i n. So viel kann ich Ihnen sagen, entweder
Sie sagen mir wo Wild ist, oder Sie machen einen
10 Gang mit mir.

B l a s i u s. Lassen Sie mich ruhen, und denn will ich
sehen ob mirs beliebt.

K a p i t a i n. Beliebt? mein Herr!

B l a s i u s. Ja, beliebt! Sie werden doch hören.

15 K a p i t a i n. Das gefällt mir. Ich will zum General
ohnedies erst. Hab ein hübsches Schiff mit gebracht.
Ich verlaß mich auf Ihr Wort. [58] Gut, daß ich dich
find, Sir Wild. Komm Knabe!

M o h r. Ich folge schon.

20 B l a s i u s. Der Hund! Wie führt den der Satan her? Es
ist der Schiffskapitain oder der Teufel. Muß doch den
Wild aufsuchen. Gönnt mir den Schlaf niemand!

L a F e u. Laß dir doch vorlesen!

B l a s i u s. Laß mich!

25 L a F e u. Das will ich am Fenster singen. Du hast ja
Myladys die Promenade versprochen.

B l a s i u s. Ich komm vielleicht.

Vierte Scene.

B l a s i u s. *(begegnet Wild und dem Kapitain an der*
30 *Thür.)* Hätt ich doch bald einen Gang vergebens gethan. *(setzt sich still hin.)*

L a F e u. *(Liest seine Verse denn ab, Mohr spielt mit*
Kindereyen.)

33 *Kindereyen:* hier mit der ungewöhnlichen Bedeutung von ›Spiel-
sachen‹; sonst »ein kindisches Betragen, kindische Reden« (Adelung
Bd. II, Sp. 1576). – Vielleicht als Gegensatz der kindischen Reden
zu La Feus Versen aufzufassen.

K a p i t a i n. Brav daß ich Sie find.

W i l d. Gut! sehr gut!

K a p i t a i n. Sie wissen doch daß ich Sie nicht leiden
kann?

W i l d. Darnach hab ich noch nicht gefragt.   5

[59] K a p i t a i n. So will ich's Ihnen zeigen. He Schottländer! mich soll der Donner erschlagen, Du darfst
Gottes Luft nicht mit mir einziehen. Ich hab vom
ersten Blick einen solchen Haß auf Dich geworfen,
daß meine Faust nach Degen und Pistol greift, wenn   10
ich Dich von weiten erblick. Geschwind Knabe, mein
Gewehr!

W i l d. Du weißst Kapitain, daß Du grob und beleidi-
gend bist, und daß ich Dir dann nichts schuldig bleib.
Du zwangst mich, Dir in Holland eine Kugel zu   15
geben, und bey meiner Seel! es schmerzte mich, da ich
Dich sinken sah, so um nichts und wieder nichts.

K a p i t a i n. Deine Kugel stak tief, aber eine Kugel
die im Fleisch sitzt, ist keine Kugel, und zündet nur
die Lebens-Geister an. Glaub mir, wann Du nieder-   20
fällst, pfeif ich Dir ein Sterblied, das meine Matrosen
pfeifen, wenn der Sturm am toll'sten wütet.

W i l d. Dank Kapitain! wie Du willst.

K a p i t a i n. Weil ich will, und muß. Weil Du für
mich ein so krötenmäßiges, fatales Ansehen hast. Weil,   25
wenn ich dich seh, meine Nerven zukken, als wenn
mir einer den widrigsten Laut in die Ohren brüllte.

[60] W i l d. Ich kann Dir sagen, daß ich Dich leiden
kann. Demohngeachtet – wenn mirs kein Ernst ist, um
des Spasses halben. Ich hätt heute nicht nöthig mein   30
Leben wegzuwerfen, doch weil Du brav bist, und wir
nun einmal nicht aus einem Ort zusammen leben können, und ich jetzt hier leben muß –

K a p i t a i n. Das ist hübsch! Weist Du was? Schottländer! ich muß jetzt zum General, wir wollens bis   35
Morgen versparen.

W i l d. Auch gut! So geh ich erst in die Bataille.

25 *fatal:* »1. Unglück bringend [. . .] Noch mehr 2. in der niedrigen
Sprechart, zuwider, widerwärtig, am häufigsten von Personen«
(Adelung Bd. II, Sp. 57).

K a p i t a i n. Und ich mit. Aber der Teufel soll Dich
hohlen, wenn Du Dich todtschießen läßest. Das merk
Dir! *(ab.)*

Fünfte Scene.

5   *Garten. Mondschein.*

(Lady Kathrin und Louise gehen spazieren.)

L o u i s e. Die Abendluft, liebes Tantchen! Sie husten ja
erbärmlich.
K a t h r i n. Husten! dummes Ding! husten – ha! ha!
10   ich bitt Dich Kind! o Kind! *(immer dabey hustend.)*
[61] L o u i s e. Was denn?
K a t h r i n. Ein schönes Geschenk wenn du erzählst –
L o u i s e. Nu daß ich Langeweile habe, kann ich Ihnen
sagen, daß mir in meinem Leben keine abgeschmack-
15   tere Kerls vorgekommen sind, als die zwey Fremden,
kann ich Ihnen wieder sagen.
K a t h r i n. Abgeschmackte Kerls? ha! ha! La Feu! der
englische süße Mylord La Feu! der Cherub unter den
Männern! Ha! Ha! Nichtchen, ein prächtiges Ge-
20   schenk, wenn Du mir ihn preisen hilfst. Setz Dich
nieder, wir wollen alle seine liebenswürdige Eigenschaften durchgehen, und so die Nacht mit seinem
Lobe hinschleichen sehen, und, wenn die Sonne kommt,
von neuen anfangen.
25   L o u i s e. Ja der Wild, Tantchen! der Wild! haben Sie
ihn gesehen? Ich sah ihn vorhin durch die Büsche
schleichen. Der Wild, Tantchen!
K a t h r i n. Nicht Wild, La Feu. Hast Du seine Augen
angesehn?
30   L o u i s e. Sie sind, glaub ich, etwas verdorrt, matt und
ausgetrocknet. Glanz und Feuer sah ich wenigstens
nicht drinnen.
K a t h r i n. Ich bitt Dich, sieh jene Sterne an! den
Glanz, das Flimmern und seine Augen!
35   [62] L o u i s e. Nu!
K a t h r i n. Merkst Du nicht was ich sagen will? o er

spricht, die Liebe macht Poeten, und die Poeten vergleichen so. Augen Glanz, Sterne Glanz! – und seine
Haare!

L o u i s e. Wir sind ja noch nicht über seine Augen einig.
– Der Blasius hat mich um all meine Munterkeit ge-   5
bracht mit seiner dummen Langeweile. Hab ich denn
schon aufgehört auf die Männer zu wirken?

K a t h r i n. Seine Haare, Nichtchen! so blond, so süß
blond!

L o u i s e. Er trägt ja eine Perücke.   10

K a t h r i n. Eine Perücke? Ha! Ha! Amor in einer
Perücke! Wie kannst Du nur so wenig aufmerksam
bey solchen Schönheiten seyn? Nein, dein Geschmack
ist der beste nicht.

L o u i s e. *(verdrüßlich.)* So sind sie wenigstens Ziegel-   15
roth.

K a t h r i n. Laß mich allein, Du kleiner Eigensinn! und
Tante mußt du mich auch nicht immer nennen, wenn
ich so in einem Liebes-Gespräch begriffen bin. Sag
lieber: Mylady!   20

L o u i s e. Wo sie denn bleiben, sie versprachen mit uns
im Mondschein spazieren zu gehen.

[63] K a t h r i n. Wart doch nur, La Feu kommt gewiß.

L o u i s e. Tantchen! wissen Sie auch daß ich den Wild
gesprochen hab? Er kam diesen Gang herauf, und   25
konnte und wollte mir nicht ausweichen. Ich that ganz
fremde, und bat um seinen Nahmen. Da stotterte er so
verwirrt, er hieße Wild, als wärs eine Lüge. Ich habe
so meine Gedanken drüber. Und daß er bey Miß Berkley so lange allein war. – Er ist verliebt in sie, bey   30
allen Sternen! verliebt in sie! Er gieng so kalt von mir
weg, und strich an mir vorbey wie ein rauher Wind.

K a t h r i n. Der Blasius ist verliebt in Dich.

L o u i s e. Ja der! Wenn wir nur wüßten, wer es wäre
der Wild.   35

K a t h r i n. La Feu weiß es gewiß, wir wollen ihn
fragen.

Sechste Scene.

L a F e u. *(in einiger Entfernung.)* Find ich dich nicht
meine Liebe? Wo bist du, daß ich diesen Gesang zu
deinen Füßen lege? dir vorsing das Loblied deiner
5   Reize? kränze dein duftendes Haar!

L o u i s e. Rufen Sie Ihren Adon!

[64] K a t h r i n. Still! laß ihn doch reden! o die Worte
der Liebe sind köstlicher als Weihrauch.

L a F e u. Wandre den Garten auf und ab nach dir
10 meine Liebe.

L o u i s e. Mylord!

K a t h r i n. Unfreundlich Mädchen! Er hört Dich doch
nicht. – Mylord!

L a F e u. Ach dieser Ton entzündet mein Blut *(her-*
15 *beyeilend.)* Ach Mylady! Stunden irr ich herum in
liebestrunkner Phantasie. Hab Dir einen Kranz ge-
flochten, Venus Urania! Wandle nun in den Haynen
von der Liebe bekränzt. *(bekränzt sie.)*

L o u i s e. Ins Tollhaus mit dem Narren!

20 K a t h r i n. O Mylord! wie angenehm – wie sehr freu
ich mich! –

L a F e u. Freuen? Ja freuen! In der Liebe freut sich
alles, ohne Liebe trauert alles. Ich habe Denkmale der
Liebe gestiftet, die nie verwesen werden, sollte auch
25 mein Herz verwesen.

K a t h r i n. O Mylord! Ihr Herz wird nie verwesen.

L o u i s e. Sie husten immer mehr, Tante! Fragen Sie
ihn doch!

K a t h r i n. Ja Mylord, eine Bitte an Sie. Wollen Sie
30 uns wohl sagen den wahren Nahmen Ihres Begleiters,
des Wilds!

[65] L a F e u. Wild? Ist denn der noch hier? Ist er
nicht im Krieg?

K a t h r i n. Noch nicht, Morgen, Mylord.

35 L a F e u. Glückliche Reise!

K a t h r i n. Aber er ist in meine Miß verliebt.

---

6 *Adon:* Adonis, der Geliebte der Liebesgöttin in der griechischen
Mythologie.

L a F e u. *(auf Louise zeigend.)* In Mylady?
L o u i s e. *(verdrüßlich.)* Mein Mylord!
K a t h r i n. Ich beschwör Sie bey allen Liebes-Göttern!
sagen Sie mir seinen wahren Nahmen.
L a F e u. Wann ichs mich erinnern könnte – hm – wol-   5
len Sie's denn wissen?
K a t h r i n. Freylich! Geschwind!
L a F e u. Ja, ich hab kein Gedächtniß, Mylady! Ich
meyn, er jagte einmal einen Bedienten fort, der's ver-
rieth. Mir hat ers glaub ich verboten.   10
K a t h r i n. Nein gewiß nicht.
L a F e u. Wißen Sie das? – ich kann nicht drauf kom-
men – Karl glaub ich –
L o u i s e. Weiter Mylord!
L a F e u. Bu – Bu – o mein Gedächtniß – Karl Bu –   15
Bu –
L o u i s e. Bushy? Mylord!
L a F e u. Ja, ja Bushy, glaub ich.
L o u i s e. Da haben wirs, ihr Karl! ihr Bushy! –
[66] K a t h r i n. Das muß mein Bruder wissen.   20
L a F e u. Ey behüte! das muß niemand wissen, als Sie.
– Kommen Sie doch, lassen Sie uns den Reihen der
Liebe im Mondschein tanzen. *(springt mit ihr.)*
K a t h r i n. O, Mylord!
L o u i s e. Ich will Ihnen doch zum Verdruß mit gehen. 25
(in eine Allee ab.)

Siebente Scene.

W i l d. *(tritt auf.)* Die Nacht liegt so kühl, so gut um
mich! Die Wolken ziehen so still dahin! Ach sonst wie
das alles trüb und düster war! Wohl mein Herz! daß   30
du dies schauerhafte wieder einmal rein fühlen kannst!
daß die Nachtlüftchen dich umsäuseln und du die
Liebe wehen fühlst in der ganzen stillen Natur. Glänzet nur Sterne! ach Freunde sind mir wieder worden!
Ihr werdet getragen mit allmächtiger Liebe, wie mein   35
Herz, und flimmt in reiner Liebe, wie meine Seele.
Ihr wart mir so kalt auf jenen Bergen! und wenn

meine Liebe mit euch sprach, drängten sich volle Thränen hervor, ihr schwandet aus den nassen Augen, und
ich rief: Jenny, mein Leben! [67] Wo bist Du blieben,
Licht meiner Augen? So hieng ich oft an dir, Mond!
5 und dunkel wards um mich, da ich nach der reichte,
die so ferne war. Ach daß alles so zusammen gewebt,
zusammen gebunden mit Liebe ist. Wohl dir! daß du
wieder das Rauschen der Bäume, das Sprudeln der
Quelle, das Gemurmel des Bachs verstehst! daß alle
10 Sprache der Natur dir deutlich ist. — Nimm mich auf
in deine liebliche Kühle, Freund meiner Liebe! *(sich
unter einem Baum legend.)*

Achte Scene.

C a r o l i n e. *(das Fenster aufmachend.)* Nacht! stille
15 Nacht! laß dirs vertrauen! Laßts euch vertrauen, Wie-
sen! Thäler! Hügel und Wald! Laß dirs vertrauen,
Mond und all ihr Sterne! Nicht mehr nach ihm weinend, nicht mehr ihm seufzend, wandle ich unter deinem Licht, sonsten trauriger Freund! Nicht mehr kla-
20 gend antwortest du mir, Echo, daß du keinen andern
Wiederhall, als seinen Namen kanntest. — Karl! Hallt
das nicht süß durch die Nacht? Karl! nicken meine
Blumen mir nicht freudig zu? Eilen nicht die Winde
herbey, meinen Ruf zu seinem Ohr zu bringen? Ihr
25 sollt euch freuen mit mir, einsame Plätzchen! [68]
Will dirs vertrauen, düstrer Ort, *(indem sie ihn gewahr wird.)* und dir, der du dort im Schatten ver-
graben liegst, lieblicher Lauscher!
W i l d. Leben! mein Leben!
30 C a r o l i n e. Freund meines Herzens!
W i l d. Fittige der Liebe mir! ich habe sie. *(steigt dem
Baum hinauf.)*
C a r o l i n e. Halt dich fest, mein Lieber, die Aeste
biegen.
35 W i l d. Laß sie biegen, stark sind die Schwingen der
Liebe, *(nach ihrer Hand reichend.)* Miß! meine Miß!
C a r o l i n e. Nicht so verwegen, trau den Aesten nicht!

W i l d. Hänge an deinen Augen. Laß mich athmen! gieb
mir doch, daß ich fühlen könnte, sagen könnte, was
das ist, dieser Augenblick. O traurige Nächte all, wie
seyd ihr verschwunden! Hast sie alle getilgt, Himmel,
hast mich hieher geführt! – Miß! liebe Jenny! was ist   5
dir? Rede, meine Liebe! was verbirgst du mir deine
süße Augen?

C a r o l i n e. Reden! – ja reden! –

W i l d. Thränen, meine Liebe?

C a r o l i n e. Die ersten Thränen der Freude.   10

W i l d. Beste! meine Liebe!

[69] C a r o l i n e. Und auch! die Thränen des Kummers. Wild! was hast du gemacht? O weiche doch,
Licht! – Unglücklicher, was hast du gemacht?

W i l d. Jenny, meine Knie wanken. Was ist dir?   15

C a r o l i n e. Dieser Rock, der morgende Tag – ach du
und mein Vater! Warum eilst du in Tod und mußt
nicht?

W i l d. Dich zu verdienen. Laß diesen Rock! es ist mir
so wohl drinnen worden. Laß! und auch diesen   20
Wunsch befriedigt.

C a r o l i n e. Weh mir! Todt!

W i l d. Todt! und umgiebt mich die Liebe. Laß mich
wandern in Todesthälern, hier führt die Liebe zurück.

C a r o l i n e. Und die Bothschaft mich zu dir.   25

Neunte Scene.

*La Feu, Blasius, Lady Kathrin und Louise kommen die
Allee herauf.*

L o u i s e. Was ist das auf dem Baum dort?

C a r o l i n e. Ich höre meine Base, Karl! entferne dich!   30

[70] W i l d. Laß sie kommen! ich seh dich wieder,
(*springt herunter. Bleibt am Fenster in tiefen innern
Gefühl stehen.*) Morgen! ja morgen! und was denn
nun, wenn ich ausgestreckt liege. Hat doch dieses Herz
alles gefühlt, was Schöpfung schuf, was der Mensch   35
fühlen kann. O, diese Nacht! diese Nacht! und der
morgende Tag! Ich seh dich wieder! und dein Bild,

das bey mir bleibt, das mich hinüber führt – ich seh
dich wieder. *(starr zum Himmel.)* Ich seh sie wieder!
seh dich wieder, wie jezt! So fest, wie das Band, womit du umwunden bist! ich seh sie wieder! Liege hier

5 und meine Brust erweitert sich. *(Sie kommen näher.)*

L o u i s e. Haben Sies gesehen, Tante? er wars und sie!
Sie warens, sag ich. Sahen Sie ihn? sahn Sie sie? Sehn
Sie ihn! O ich möcht den Mondschein wegziehen, der
garstige Mensch!

10 K a t h r i n. Geht michs was an? komm zu meinem Bruder, wir wollen ihm die Neuigkeit. –

L a F e u. Was Mylady? Sie wollen gehn? Und die
Nacht wird immer phantastischer. Die Sphären klingen immer reizender.

15 B l a s i u s *(setzt sich nieder.)*

L o u i s e. Nu Mylord?

[71] B l a s i u s. Ich bin so müd – kann nicht von der
Stelle. Der Spaziergang ist so naß und kalt, bekommt
mir übel –

20 L o u i s e. Schämen Sie sich Mylord, sollten wenigstens
nichts sagen.

B l a s i u s. Ja sagen – Feuer ist Feuer, und matt ist
matt. *(steigt auf.)*

L o u i s e. *(Wollen an ihm vorbey gehn. Gehn an Wild*
25 *vorbey. Er ohne sie zu bemerken.)*

L o u i s e. Das ist impertinent!

26 *impertinent:* frz., flegelhaft.

Vierter Akt.

Erste Scene.

Nacht. (Berkleys Zimmer wie oben.)

B e r k l e y. Morgen Bataille – ha! ha! ha! das nenn ich
doch was, wenn einmal Bataille ist. Halt dich brav,   5
alter Lord! schläft sich gut die Nacht! – ha! ha!
B e d i e n t e. Mylord! es ist ein Herr außen.
B e r k l e y. So spät – laß ihn nur kommen. Sir Wild?
B e d i e n t e. Nein, er nennt sich Seekapitain.
[72] B e r k l e y. Trag ihn auf den Händen herein,   10
wenns der Schiffs-Kapitain ist, ders Schiff mitbrachte.
(Bediente ab.)

Zweyte Scene.

K a p i t a i n. Mylord! der Wirth sagte mir, daß ein
Engelländer oben wohne, ich konnte nicht zu Bett   15
gehen, ohne Sie zu sehn.
B e r k l e y. Willkommen, tausendmal willkommen, wil-
der, guter Seemann!
K a p i t a i n. Willkommen. Ich hab Ihnen ein Compli-
ment gemacht als ich einlief. Ein reiches Englisches   20
Schiff, Mylord. Uebrigens ich bin müd. *(der Mohr
stellt sich hinter ihn, und spielt mit seinen Haaren.)*
B e r k l e y. Legen Sie sich, setzen Sie sich. Wies gefällt.
K a p i t a i n. Es freut mich doch – *(sieht ihn starr an.)*
Ja Mylord, es freut mich. – Wär ich einmal zu meinem   25
Ziel gelangt. Fahr die ganze Welt durch. –
B e r k l e y. Das ist gut, Sir! daß ich Sie sehe. Sie tref-
fen meine Seele wunderlich. Muß Sie küßen, Sir!
K a p i t a i n. Mylord! alle meine storre Wildheit ver-
läßt mich bey Ihnen.   30

---

4 *Bataille:* frz., Schlacht.
29 *storr:* Rückbildung zu ›störrisch‹?

[73] B e r k l e y. Lieb! gut! Geist meines Harry! wohnst du noch hier! Wem suchen Sie auf, Sir?

K a p i t a i n. Einen alten Mann. Weiß der Himmel, fahr zehen Jahr auf der See, bin verlohren bis ich ihn find.

5 B e r k l e y. Harry! ist das nicht? hast du seine Seele, hast du sein. – Harry! ich meyn ich müßt ihn aus dir herausrufen.

K a p i t a i n. Mylord, wer sind Sie?

B e r k l e y. Wer ich bin? – Gott im Himmel! im Him-
10 mel! Harry! Harry! du bists –

K a p i t a i n. Harry Berkley –

B e r k l e y. Mein Sohn!

C a p i t a i n. Vater! mein Vater! *(an seinen Hals.)*

B e r k l e y. Mein Harry! he mein Junge! drück ich Dich
15 denn in meine Arme! o mein Harry! es ist mir so freudig, meine Augen werden dunkel.

K a p i t a i n. O mein Vater! hab die Welt umfahren nach Ihnen, alle Inseln durchkrochen.

B e r k l e y. Ja doch, Du bists. Du hast das wilde, stirre
20 der Berkleys. Das rollende Droh-Aug, das feste, das unerschütterliche, entschloßne. He Harry! Harry! Laß mich doch nur recht freuen. Ein so tapfrer Seemann, mein Harry! Uns ein Schiff mitgebracht und mein Harry!

25 [74] K a p i t a i n. O mein Vater! – das hab ich ha! ha!

B e r k l e y. Ich werde toll für Freude noch. Ich muß ein wenig ausruhen. Die Freude schwächt mich so, und meine Glieder tragen sie nicht mehr *(setzt sich.)*

K a p i t a i n. *(ihn umarmend.)* Unglücklicher Vater,
30 was magst Du gelitten haben!

B e r k l e y. Wenn Du nur nicht, wenn Du nur nicht – Du bist ja da. Ich habe nichts gelitten. – Nein sitzen kann ich nicht. Caroline! Caroline! Miß! Miß! um Gotteswillen Miß!

35 K a p i t a i n. Meine Schwester!

B e r k l e y. Harry! Caroline! Sie sind da! *(zum Him-mel.)* Hast mir sie wieder gegeben! diesem Herzen sie wieder gegeben! ich kann ja nicht weinen jetzt, da steht er – o mein Harry!

40 K a p i t a i n. Mein Vater, die Worte wollen nicht her-

auf. – Wo ist denn meine Schwester? und meine Mutter?

Berkley. Mutter! Mutter! Harry! o Berkley dein Weib – Miß! Miß!

Dritte Scene.   5

Caroline. Vorige.

Berkley. *(zur Miß.)* Willst Du heulen? willst Du weinen und springen?

[75] **Caroline.** Mylord!

Berkley. Er ist da: da! dieser! dieser! dieser da!   10

Kapitain. *(sie umarmend.)* Meine Schwester, meine liebe! –

Caroline. Mein! Mein!

Berkley. Ja ich kanns nicht sagen für Weinen und Freude. Harry! Ach ihr könnt nichts hervor bringen, 15 so freuts euch. Ha! Ha! Alter! was du da siehst – o meine Kinder! *(umfaßt sie.)* Nun geb der Himmel dir auch deinen Sohn wieder alter Bushy!

Caroline. O Mylord! dieser Wunsch macht Deine Tochter ganz glücklich.   20

Mohr. *(kniet sich vor Berkley und Miß.)* Alter Mann, ich bin dein Sclav! Gute Miß, bin dein Sclav!

Kapitain. So Junge!

Berkley. Steh auf Schwarzer! gieb mir deine Patsche!

Mohr. Segne Dich Gott! ich bin Dein wie ich hier bin, 25 und dein Lady!

Caroline. Du sollst mit mir zufrieden seyn. Lieber Bruder. Lieber Harry! wie ließest du uns so lange nach dir weinen? –

Berkley. *(zum Kapitain.)* Sprich doch! rede doch!   30

[76] **Kapitain.** O meine Mutter, Mylord! ich seh meine Mutter nicht. Hab ihr so vieles mitgebracht, und Dir Miß! Wo ist meine Mutter?

Berkley. Freu Dich doch erst!

---

24 *Patsche:* »In der tändelnden und vertraulichen Kindersprache wird die Hand die Patsche [. . .] genannt« (Adelung Bd. III, Sp. 674).

Caroline. Liebster! Bester! *(weinend.)*

Kapitain. Weinst Du? todt! he Mädchen! sprich aus, todt?

Berkley. Ja todt! beym Himmel ein Engel Gottes!
5 o ich möchte wahnsinnig werden, daß meine Lady nicht hier steht mitten unter euch, wie ein beschatten- der erquickender Baum, ihre Hände auf eure Häupter legte und so euch seegnete. Das sanfte, liebe Weib! sahst du herab wie dein alter Lord auf Dornen lag,
10 den rauhen Pfad des Kummers gieng? Sieh jezt her- ab! – daß sie nicht dasteht mitten hier! Verflucht sey Bushy! Laß ihn seinen Sohn nie mehr sehen, durch ihn verlohr ich Sie!

Kapitain. Meine Mutter todt? Auch durch ihn todt?
15 Verfluchter Gedanke, daß ich ihn der See gab!

Berkley. Der See gab? was?

Caroline. Bruder! mein Bruder! Rede!

Kapitain. Gerochen Vater! an Bushy und Hubert. Ha! ich war ein kleiner Junge und [77] fühlte was Sie
20 uns thaten, und rächte Euch eh ich Euch fand.

Berkley. Thatests du das? Goldjunge! Harry! Harry! Wie? wie? du süßer Junge?

Caroline. Doch nicht todt mein Bruder?

Kapitain. Freylich, freylich.
25 Caroline. Ists das! das! – Gott im Himmel! *(sinkt auf einen Stuhl.)*

Kapitain. Was will das Kind? He Miß!

Berkley. Ich will sie aufwecken. He Miß! Miß! der Bushy unser Feind! er ist todt! wachst du auf? Ich
30 wachte von den Todten auf, riefst Du mir das? Wir sind gerochen, Miß!

Vierte Scene.

Wild. Vorige.

Wild. Mylord! Sie bestellten mich – *(indem er die Miß*
35 *gewahr wird.)* Miß!

Kapitain. He, was Teufel will der Schottländer? Morgen schießen wir uns.

W i l d. Miß, Jenny! was ists?

B e r k l e y. He Mylord! so viel Freude – fataler
Mensch! so viel Freude – das ist mein Sohn, Sir!

[78] W i l d. Der Kapitain? Nun dann! auch das noch –
Miß! liebe Miß!   5

C a r o l i n e. Wild! Wild! gehn Sie doch!

B e r k l e y. Noch eine Freude, Mylord! noch eine
Haupt-Freude! Seyn Sie lustig, ich vergeb Ihnen, daß
Sie so aussehen. Mein Sohn hat den alten Bushy er-
schlagen. Er ist todt, Mylord! mein Freund! – Nu   10
keine Freude! was sieht Ihr Aug so grade hin? Mylord!

C a r o l i n e. Mein Vater!

K a p i t a i n. Ich ließ ihn, weiß Gott! bey einem der
gräßlichsten Stürme, die ich auf der See erlebt, mit
Hubert in einer kleinen Barke auf die See setzen. Es   15
war Nacht und donnerte fürchterlich, pfif so melo-
disch brüllend über der See, daß mirs Herz gellte, und
was mich verdroß, sie mucksten nicht. Hätten sie ge-
bethen und gefleht, bey allen Elementen! ich hätt sie
vielleicht aufgehangen, oder auf eine wilde Insel aus-   20
gesetzt, denn es kam eben eine Ladung von Wellen
daher, der ich meinen Hund nicht vertrauet hätte. Sie
waren aus meinem Gesicht verschwunden, wie sie
kaum in die Barke stiegen. Nur bey den Blitzen sah
ich sie in der Ferne kämpfen, und es heulte so bitter   25
um mich, daß ich die Freude [79] nicht haben konnte,
sie von der See verschlingen zu sehn, und ihr Geächze
zu hören. Aber der Sturm spaßte nicht.

C a r o l i n e. Es wird so kalt – *(matt hinsinkend.)* es ist
so todt –   30

B e r k l e y. He denn! was machst Du? es gellt mir
wirklich selbst in der Seele –

W i l d. Thuts das Mylord, und was denn mir? Ha so
erwache doch in mir – bist Du denn so erstarrt – so
hin – he! he! he! kalt Miß! he! Miß! Erwache mit mir!   35
he! he! he! Es ist wirklich kalt!

K a p. Nun Schottländer was frierst Du denn?

W i l d. *(zieht den Degen.)* Nimm deinen Degen! he!
nimm Deinen Degen! oder ich würge Dich in diesem
Fieber, und freß Dirs Herz aus dem Leib. Und dir   40

Alter! he! kalt! und friert mich? Zucken meine Finger?
he! und wachsen ans Gewehr, und will nicht eher
ruhen, bis Du da liegst, und ich Dein Leben aus Deinem Blut sauge. Kalt ich?

5 K a p i t a i n *(seinen Degen ziehend)* He! Schottländer,
wenn Du nicht länger warten kannst –

B e r k l e y. He! was willst du stöhren – was? *(auch
seinen Degen ziehend.)*

C a r o l i n e. Mein Vater! Mein Bruder! Wild! *(in*
10 *Wilds Armen sinkend)*

[80] K a p i t a i n. Was hat das Mädel mit dem Schottländer? Willst du weg! Laßts euch nicht wundern,
Vater, wir haben uns mehr geschlagen, habe ihm ewigen Haß geschworen.

15 B e r k l e y. Und da ist meiner ewig, ewig, er gleicht Bushy.

K a p i t a i n. Willst Du bis Morgen warten, Stirn gegen
Stirn zu schießen?

W i l d. Ja – ja doch – sieh nur dies Herz! nur dies Gehirn! *(schlägt ihm auf dem Kopf)*

20 K a p i t a i n. Bist Du rasend?

K a r o l i n e. Mein Vater! soll ich denn sterben hier?

B e r k l e y. Ich will Dich –

Fünfte Scene.

Lady Kathrin, Louise und Vorige.

25 L. K a t h r i n. Guten Abend, Bruder! – was sollen die
Degen? Ey Gott! das kann einen erschrecken – und es
freut mich dir in der Person Sir Wilds Carl Bushy den
Bräutigam deiner Tochter vorzustellen.

B e r k l e y. Carl Bushy?

30 L o u i s e. Ja, ja lieber Onkel! ganz gewiß. Sein Freund
La Feu hat das all erzählt.

[81] K a p i t a i n. Rechtfertigt sich nicht mein Gefühl?
Waren die Eindrücke, die er auf mich machte, nicht
wahr? – Du hast zu lange gelebt!

35 W i l d. Ich bins. Ihr hörtet auf Menschen zu seyn, seht
in mir euren Mörder. Und diese ist mein Alter! *(die
Miß in seine Arme nehmend.)*

B e r k l e y. Sie haßt dich, da sie weiß wer du bist.
Geht Miß bald aus meinen Augen? – Harry! ich
konnte ihn nie ausstehen, was machen wir mit ihm?
(Caroline, Berkley umarmend.) Nein ich thu ihm
nichts. Harry!   5

L. K a t h r i n. Harry! Ey Harry: Was soll das?

B e r k l e y. Mein Sohn ists – Freude genug. Geht nur
weg von hier!

L o u i s e. Das ist hübsch, daß er da ist.

L. K a t h r i n. Ey sieh doch! Berg und Thal kommen 10
nicht zusammen, aber die Menschen. Guten Abend
denn Harry!

B e r k l e y. Geht nur!

K a r o l i n e. *(bittend)* Mein Vater! mein Bruder!

B e r k l e y. Schleppt sie fort!   15
                (Lady Kathrin Louise mit Karoline ab.)

W i l d. Gute Nacht, Miß! wir sehn uns wieder.

[82] **K a p i t a i n.** So! hier doch wohl nicht?

W i l d. Also auf die See haben Sie ihn ausgesetzt, den
rechtschafnen Bushy? –   20

K a p i t a i n. Auf die See, den rechtschafnen Bushy.

W i l d. Mitten im Sturm?

K a p i t a i n. Mitten im Sturm, Carl Bushy!

W i l d. Du thatst das nicht Kapitain.

K a p i t a i n. Beym Satan ich thats!   25

W i l d. Einen alten schwachen Greis?

K a p i t a i n und **B e r k l e y.** Bushy wars!

W i l d. *(spöttisch.)* So laß mich Dir doch zu Füßen fallen, großer Alexander! der Du mit einem Schiff voll
Leute, zwey alte Greise überwältigen kannst. Das sind 30
Trophäen! Und haben nicht einmal ihre Hände gegen
Dich aufgehoben? ihren Mund nicht geöfnet? Daran
erkenn ich Bushy. Soll ich Dir nun das Siegeslied an-
stimmen? Das will ich, bey Bushys Blut hier! Das will
ich, tapferer Held! Ein Schiff voll Menschen und   35
zwey alte schwache Männer! ha! ha! ha! o Schurke!
Schurke! welch große Thaten!

---

29 *Alexander:* der große Herrscher und Feldherr des griechischen
Altertums.

Kapitain. Schurke?

Wild. Freylich! mehr noch! Memme. Alter! freu Dich
doch einen solchen Sohn gezeugt zu ha[83]ben! Freu
Dich seiner Thaten: bey Gott sie sind groß. Und große
Thaten verdienen große Belohnungen. He! He! Wart
nur Kapitain! Balladen will ich drüber absingen in
Londens Straßen, so bald die Mord-Geschichte zu
Ende ist. He! He!

Kapitain. Wild! bey allen Teufeln ich stoß Dich
durch!

Wild. He! He! warte doch bis ich meinen Degen ein-
gesteckt habe.

Mohr. *(zu Wild.)* Mann! wenn Du nicht so grimmig
aussähst, wollt ich Dir etwas zeigen, das ich einem von
den alten Männern gestohlen habe. Ein Bildchen von
einer Weißen ists. Ich zerriß meine grause Haare über
den Alten, so weh that mirs. Der Alte war gut. Das
ists!

Kapitain. Knabe! *(tritt ihn.)*

Mohr. O weh!

Wild. Er war gut, Junge! *(küßt ihn.)* Er war gut!

Mohr. Hatte mich so lieb! Ich war krank und acht
Tage hielt er mich in seinen Schooß, und drückte meinen heißen Kopf, labte mich bis der Kapitain ihn
fand.

Wild. Das all! Nu Junge! – *(das Bild ansehend.)* Mut-
ter! Mutter! meine Mutter! hold[84]seelige! Ist doch
nichts von Liebe mehr in mir, o entzünde den letzten
Funken, und laß ihn auch noch in Rachgierde und
Grimm auflodern! He meine Mutter! zur andern
Stunde! Ich danke Dir Knabe!

Mohr. *(heimlich.)* Hab Dir noch mehr zu sagen.

Kapitain. Knabe! was machst du?

Mohr. *(zu seinen Füßen.)* Hier! *(die Hände auf die
Brust legend.)* ich muß!

Wild. Mitten im Sturm! was sitzt ihr da? Sinnt ihr
auf Meuchelmord? Kapitain! ich will brav seyn gegen

---

16 *grause:* Klingers Dialektform für ›krause‹. Die Erstausgabe hat
den Druckfehler ›prause‹.

dich. Gut wars, daß du erzähltest, wie niederträchtig
du gehandelt hast, sonst hätt ich dich so eben in voriger unbegreiflicher Kälte niedergestoßen. Ich will dich
nicht unbewafnet angreifen, und so morgen. Aber
schlafen kann ich nicht bis du da liegst ausgestreckt, 5
und dann will ich dich mit Freuden-Gebrüll in die See
schleppen, bey Carl Bushy!

K a p i t a i n. Bin da morgen früh.

B e r k l e y. Ihr sollt mir erst in die Bataille.

W i l d. Ja Alter! ja! in die Bataille. Gute Nacht, Knabe! 10
(zum Mohren) Wenn ihr euch einfallen laßt, mich mit
einigen Hunderten diese [85] Nacht zu überfallen, so
kommt nur, ich bin wach.

B e r k l e y. Wollt Ihr nicht zu Tisch bleiben?

W i l d. Canibalisch allenfalls, Mylord! des Kapitains 15
Fleisch gelüstet mich. (ab)

K a p i t a i n. Wart bis ich verfault bin.

B e r k l e y. Komm mein Sohn! wir wollen zu Tisch gehn.

K a p i t a i n. Ich ruh nicht bis der Mensch aus der Welt
ist. Er drückt mich wo ich ihn seh, und ich bin sein 20
Feind von Anbeginn, eh' ich ihn kannte.

B e r k l e y. Er ist ein Bushy! das ist genug. Aber laß
den Bushy jetzt Bushy seyn und komm an mein Herz,
Du mein Leben!

Sechste Scene.   25

(voriger Garten.)

Blasius. La Feu. auf einer Rasenbank sitzend.

B l a s i u s. Magst Du auch hier nicht weg mehr die
Nacht, la Feu?

L a F e u. Laß mich nur gehn, die Nacht thut mir so 30
wohl, und mein Herz stimmt sich so neu –

B l a s i u s. O unter dem Himmel hier mein Leben ver-
hauchen diese Stunde! – Mir ist gut [86] jetzt, da ich
den Gedanken wiederum fest kriegt hab, da er zu
Empfindung, zu tiefem Gefühl worden ist. Gesegnet 35
seyst du Erde, die du dich uns mütterlich öfnest, uns

aufnimmst und schüzest! Ach! wenn denn der Mond
dämmert, die Sterne flimmern über mir, der ich ein-
gewiegt liege, in tiefem süßen Schlaf. Ich werde noch
dieses Gefühl haben. Du wirst mir da seyn, ich werde
5 dir da seyn. Laß denn den Sturm hinfahren, die Winde
heulen über mir, du giebst Ruhe deinem Sohn. Gütigste Mutter, meine Pilgrimschaft ist zu Ende, habe die
Dornen betreten, habe auch Freude genossen, hier bin
ich wieder!
10 La Feu. O Blasius, himmlischer Blasius! hier an Deiner Brust, an Deinem Herzen, saug ich ein mit Dir –
Blasius. Liebe, Unglückliche alle die ich verlassen
hab, weinet nicht nach mir, vergeßt mich! Ich konnte
Euch nicht geben, keine Ruhe, keine Hülfe, ich hatte
15 nie. Vergebt mir! Wie tausendmal war mein Herz zerrissen, wie tausendmal bebte meine Seele, wenn ich so
unterlag den Menschen, so unterlag dem Grimm des
Schicksals, und ich hier nicht weg konnte, da nicht
weg konnte. Die Berge zu übersteigen hatt ich [87]
20 Muth genug, aber früh schnitten sie mir die Schwing-
kraft entzwey. O wer des Herzens, des Gefühls zu
viel hat hier! O weh! – liebliche Lüfte gebt mir Liebe
noch! La Feu! ich fühl diesen Augenblick nichts von
Unbehaglichkeit. Ich fühl eine Stunde, wie sie die füh-
25 len müssen, die eben die Erde verlassen wollen, und
die ich immer als die herrlichste dachte. Mein Herz ist
so bebend – aber die vorübergehende Fieberhitze – ach
die Krankheit der Seele! – Gute Nacht Bruder! Gute
Nacht Bruder Wild! und alle gute Seelen, die hier und
30 dort seufzen! – Dank für diesen Augenblick! – Gute
Nacht!
La Feu. Blasius! Blasius!

Siebente Scene.

Wild (tritt auf mit gezogenen Degen.)

35 Blasius. Wild! Bruder!
La Feu. Was ist Dir? O Schrecklicher, stöhr meine
Seele nicht!

B l a s i u s. Ich bitt Dich, Bruder! laß meinem Herzen
  Ruh – Du tödtest mich – Was ist Dir!
W i l d. Was ist aus mir worden? Ist alles so anders um
  mich geworden? ha alles erstorben! – Vater! mein
  Vater!   5
[88] B l a s i u s. Wild, lieber Wild!
W i l d. Geht weg! was wollt Ihr von mir!
L a F e u. Was ist dir dann?
W i l d. Keine Antwort von mir! Ich bin euch und der
  Welt nichts, bis ich Rache habe! schreckliche Rache! 10
  Geht ihr bald! Und du! hast du Gewalt über deine
  Zunge? Geht weg, wenn ihr mir nicht unterliegen
  wollt!
L a F e u. Bruder! ich bin unschuldig.
W i l d. So geh nur!   15
B l a s i u s. Da stürz ich wieder zusammen in mir,
  Bruder!
W i l d. Laßt mich doch in der tauben Fühllosigkeit,
  worinn ihr mich seht! (*Blasius und La Feu ab. Wild,
  dem Fenster der Miß gegenüber bleibend.*)   20

Fünfter Akt.

Erste Scene.

(Berkleys Zimmer.)

Caroline und Betty.

C a r o l i n e. Betty, liebe Betty! ists denn noch nicht 25
  vorbey?
[89] B e t t y. Nein liebe Miß! alle Glieder zittern mir.
  Man hört immer noch schießen. Aber so stark nicht
  mehr. Sie meynen, wir siegten. O, Gott! es kommen
  so viele Verwundete! gar schöne Leute, Miß! da war 30
  eben einer mit einem halben Kopf. Das Herz möchte
  einem brechen.

C a r o l i n e. Sieh, Betty! Ich habe Muth! fühlst du
nicht, daß ich Muth habe?

B e t t y. Meine Miß! Sie zittern ja, wie ich. Der liebe
alte Lord! und der Kapitain! und der fremde Lord!

5 C a r o l i n e. Betty! –

B e t t y. Ja, wenn einer todtgeschossen würde, ich raufte
mir die Haare aus.

C a r o l i n e. Betty!

B e t t y. O, Sie werden ja ohnmächtig!

10 C a r o l i n e. Laß mich nur allein. Ach jeder Schuß,
den ich hörte, traf einen von ihnen, traf mich. Laß
mich nur, liebe Betty!

B e t t y. Ich will nur sehen, obs noch nicht vorbey ist.
(geht ab.)

15 C a r o l i n e. *(allein.)* O diese Nacht! diese Nacht! und
dieser Morgen! Wie haben nur meine zarten Fibern
gehalten! ich begreifs nicht. Wo kam diese Stärke her?
War auf dem Punkt mit ihm [90] zu fliehen, ihn
Rache nehmen lassen und dann mit ihm fliehen! Wie
20 kam dieser Gedanke in meine Seele? und daß er sie so
ganz erfüllte? Ach, wie er so vor mir stund in peini-
gendem, grimmigem Schmerz, sein Leiden, seine Sinnen trüb, und denn wild machte – Ihn in aller dieser
Qual von mir zu lassen! und jezt vielleicht zerbrochen
25 seine Stärke, erkaltet sein Herz. – Karl!

Zweyte Scene.

M o h r. *(tritt weinend auf.)* Ich kann keinen finden von
ihnen. Ach mein Lord, mich allein gelassen! Und kann
auch den guten andern Lord nicht finden, dem ich so
30 viel zu erzählen habe. Ich armer Knabe! ich!

C a r o l i n e. Guter Junge! guten Morgen!

M o h r. Ja, liebe Miß! wie ich aufwachte, war mir recht
lustig, da hatt' ich eben die ganze Nacht meinen Vater,
den Zukai und meine Mutter besucht. Du kennst ihn
35 nicht. Ey du solltest ihn kennen, und wie ihn die

---

34 *Zukai:* bisher ungedeutete Namensform.

Nachbarn lieb haben, und die Feinde fürchten. Sie
wollten mich nicht fort lassen, und gaben mir zu essen
allerley. Jezt bin ich traurig.

C a r o l i n e. Armer Knabe!

[91] M o h r. Gute Miß! wo sind wir dann? Was knallt   5
denn so immer fort? Weißest du denn nicht, wo der
Lord ist, mit dem mein Lord und der alte so böß ist?
Er war so traurig wie du, und ich wollte ihn lustig
machen.

C a r o l i n e. Du? Wen?   10

M o h r. Ja ich. Wie er heißt, weiß ich nicht. Aber wegen
seinem Vater. Dir darf ichs nicht sagen, gute Miß! ob
du mich schon nicht verrathen würdest, weil du gut
bist. Ich hab sie angetroffen. Heysa! drückte mich der
Alte! Sieh einmal Miß, er küßte mich, und meine   15
Wangen waren naß, da ward meine Brust dick drüber,
daß ich nicht Athem genug hatte. Er ist gar gut, der
Alte.

C a r o l i n e. Wer denn, lieber Knabe?

M o h r. Still Miß! still! du könntest mirs eben ab-   20
lauschen, und ich plauderte alles. Dein Vater ist ihm
nicht gut, und des Kneipens, Schlagens, Tretens wäre
kein Ende für mich. Horch! es kommt jemand. Das
ist gut. Ich will den Lord suchen.

C a r o l i n e. Komm mit mir!   25

M o h r. Ich will dir weinen helfen, gute Miß! ach ich
habe oft zu weinen! wir Schwarzen lernen [92]
weinen gar früh von Euch, aber ihr lacht dann! *(geht
ab.)*

C a r o l i n e. Du sollst nicht weinen, Knabe, bey mir.   30

Dritte Scene.

*La Feu, Lady Kathrin. (Beyde auf phantastische Art mit
Blumen geschmückt treten auf.)*

L a F e u. O goldne Zeit! O Herrlichkeit! Ach der
ewige, der ewige Frühlingsmorgen in meinem kranken   35
Herzen! Sehn Sie nun, meine Liebe! mein ganzes künf-
tiges Leben, möcht ich so eben, fern von allen Men-

schen, in einen poetischen, arcadischen Traum verwandeln. Wir säßen an einer kühlen Quelle; unter den Schatten der Bäume, Hand an Hand, besängen die Wunder des Herzens und der Liebe. Und, Mylady!
5   das wär das einzige Mittel, all meine vergangne tragische Situationen zu vergessen. Wir wollten nicht über die Menschen klagen, nicht bitter von ihnen reden, wie Blasius, ewiger Friede in uns, mit uns, und allen, dauernde Freude sollte um uns herrschen. Was
10   mir die Menschen gethan haben, vergeb ich Ihnen so herzlich, als ich Sie [93] liebe. Sehn Sie, Lady, mir hatte der Himmel Empfindungen gegeben, mit denen ich unmöglich bey den Menschen fort kommen konnte. Freylich haben sie mich abgeschliffen, aber Mylady,
15   diesem Herzen blieb noch ein Winkel unverdorben. Und da trats nun hervor, und der Himmel vergebs dem, der mich störe, und das verkehrt nennet!

L a d y   K a t h r i n. Ich versteh noch nicht genug. –

L a   F e u. Ach so will ich meine ganze Empfindung in
20   Ihre Seele legen! Meine Diana! einen süßen, sanften Traum wollen wir träumen, immer so süß wie der erste Kuß der Liebe. Nur phantastisch! Blumenreich!

L a d y   K a t h r i n. Sie entzücken mich!

L a   F e u. Ich bin willens ein Schäfer zu werden. Das
25   war mein Gedanke von lange her. Nur fehlte mirs an einer Schäferin, die hab ich in Ihnen gefunden, liebliche Seele!

L a d y   K a t h r i n. O Mylord! und Schäfchen, einen Schäferhut, Schäferstab, Schäferkleid weiß mit roth!
30   Ich hab noch solche eine Maske aus London mitgebracht. Ich sterbe für Freude bey denen süßen Gedanken.

[94] L a   F e u. Ich kleide mich in einen unschuldigen Schäfer. Wir kaufen uns eine Heerde. Wild schenkt
35   uns einen von seinen Hunden. Und so wollen wir das Leben wegphantasiren. Ewig in Friede, ewig in Liebe leben! o der Seeligkeit!

---

1 *arcadisch:* nach der Hirten- und Schäferlandschaft Arkadien (Peloponnes) gebildete Bezeichnung für einen natürlichen, freien und ursprünglichen Idealzustand.

Lady Kathrin. Mylord! Mylord! Und auch Schäfchen?

La Feu. Ja, Mylady! und auch eine Hütte. Ich Ihr Schäfer!

Lady Kathrin. Und auch – ha Mylord – heurathen? – 5

La Feu. Behüte! ganz geistig, ganz phantastisch. Das ist der Reiz davon. Nur stößt sichs an etwas. Was vor Namen wollen wir denn annehmen in unsern unschuldigen Stand? 10

Lady Kathrin. Recht zärtliche, Mylord!

La Feu. Ja freylich recht zärtliche, Damon ich, und Sie Phillis.

Lady Kathrin. Ja Mylord! diese Namen haben mir immer in den Poesien wohlgefallen. Ich Phillis! 15 Laßen Sie uns doch geschwinde Anstalt machen.

[95]   Vierte Scene

Blasius und Louise. Vorige.

Louise. O Tante! Ich habe Kopfweh. Mir ist nicht wohl, und Blasius ist wieder so stumm wie ein Fisch, 20 und wenn er ein Wort spricht quält er einen. Er spricht gar von Heurathen.

Lady Kathrin. Pfuy!

Blasius. Ich sag ja nur, wir hätten die besten Eigenschaften darzu. Weil wenn wir beysammen sind, ich 25 Langeweile habe und Miß Langeweile hat. Diese zu haben und zu ertragen, gehört ja zum Ehestand. Unsre Virtuosität besteht darin, also –

Louise. Was sprechen Sie wieder? Ueberhaupt muß ich Ihnen sagen, daß ich Ihrer völlig müde bin. Sie haben 30 mich durch Ihr fatales Betragen ganz aus meinem Wesen gebracht, ich bin mir selbst ärgerlich worden. Sonst war ich lauter Freude, lauter Heiterkeit, ein Tag wie der andre, aber Sie verderben alles, gehn Sie nur!

---

12 *Damon:* Typenname der herkömmlichen Schäferdichtung.
28 *Virtuosität:* ital.-frz., Kunstfertigkeit.

B l a s i u s. Miß! Warlich Ihr Gesicht ist mir oft ein
guter Sonnenschein! lassen Sie michs manchmal an-
blicken, nur reden Sie nicht.

L o u i s e. So! wenn ich eben wollte, und dann einzu-
5   schlafen für lauter gutem Sonnenschein.

[96] B l a s i u s. Verstehn Sie doch nur!

L o u i s e. Schämen Sie sich!

B l a s i u s. Hm! hm! ich bin herabgespannt wieder
heute, das Gott erbarm!

10 L o u i s e. Tante! wir wollen spielen. Nein tanzen –
Tanzen Sie nicht Mylord?

B l a s i u s. O weh!

L o u i s e. Es ist mir so dumm – der Mensch da.

L. K a t h r i n. Ich hab Dir viel zu erzählen, gar viel.
15   Hör, wir wollen ein Schäferleben führen. La Feu ein
Schäfer, und ich eine Schäferin.

L o u i s e. Ha! Ha! Ha!

B l a s i u s. Wohl la Feu! Gedeyen und Glück!

L a F e u. Ja Bruder! ich will träumen bis an meinen
20   letzten Tag.

B l a s i u s. Nun wohl, und ich will Eremit werden. Ich hab
eine schöne buschichte Höhle ausgespührt, da will ich
mich mit meinem noch übrigen Gefühl hinein verschlie-
ssen, und das Leben von neuem anfangen, das wir auf
25   den Alpen verlassen haben. Himmel und Erde sind mir
Freunde worden diese Nacht, und die ganze Natur.

L o u i s e. Hi! Hi! Lassen Sie uns spielen, und thun Sie
was Sie wollen.

[97] B l a s i u s. Was ist denn das Lermen, Trommeln
30   und Gelauf? Die Sinnen vergehn mir ja.

L. K a t h r i n. Sie kommen aus dem Krieg, Mylord!

L o u i s e. Die armen Leute! was werden sie so müde
vom Schiessen seyn!

Fünfte Scene.

35   *Berkley. Capitain (hinkend). Vorige.*

B e r k l e y. Lach Junge! lach! ha! ha! das war heiß, das
war brav!

C a p i t a i n. Der Teufel soll mich holen, eh ich noch
einmal zu Lande fechte. Zu Wasser, Vater! bey allen
Elementen, wer schwimmen kann, schwimme, und
bleib vom Lande weg. Nehm mir doch einer die Kugel
aus der Wade! Der Donner erschlag den Landkrieg! 5
Nehm mir doch einer die Kugel aus der Wade, das
Ding zieht verflucht, hab mich stark verblutet und
kann kaum mehr stehen.
B e r k l e y. Ist das der Werth Lermens zu machen? Wo
ist mein Kind? meine Jenny? 10
[98] L a F e u. Aber wie kommen der Mylord zu einer
Kugel in der Wade? Sind Sie denn gelaufen etwa? –
K a p i t a i n. Schert euch zum Teufel mit eurer Frage,
Herr Naseweis! –
L a d y K a t h r i n. Nicht so streng, Neffe! kommen 15
Sie Mylord! wir wollen unsre Sachen in Ordnung
bringen.
L a F e u. Ja liebe Lady! *(ab, und Blasius und Louise.)*
K a p i t a i n. Gut daß sie abziehen. O Neptunus dein
Seehund! Sie schossen teuflisch auf unsern Flügel, Va- 20
ter! Wild muß einen Bund mit dem Satan haben. Die
verdammte Gegenwart, Festigkeit und Starrheit im
Menschen – die dumme Kugel! Vater! geht mit auf
mein Schiff, wir wollen für die Colonien capern. Der
verdammte Wild! 25
B e r k l e y. Ich kann Dir sagen, Harry! ich hab Ehr-
furcht für Wild kriegt und noch mehr Haß für Bushy.

[99]   Sechste Scene.

                    Caroline. Vorige.

B e r k l e y. Siehst Du Miß, da sind wir. 30
K a p i t a i n. Trag auf! mich hungert!
C a r o l i n e. Mein Vater! mein Vater!
B e r k l e y. Sieg!
K a p i t a i n. Wollt aber lieber geschlagen seyn. Bushy
hat die meiste Ehre davon. Der that Teufels-Dinge mit 35
seinen Freiwilligen. Daß dich der Donner mit der Ku-
gel! Ich kann mich heute nicht mit ihm schießen.

C a r o l i n e. Armer Bruder, eine Wunde! und Bushy
  hat sich so brav gehalten?

K a p i t a i n. Ach halts Maul! meine Reputation ist hin,
  ich möcht vergehen in Wuth.

5 C a r o l i n e. Ist denn Wild davon kommen?

K a p i t a i n. Was gehts Dich an? Ja!

B e r k l e y. Kümmre Dich nicht, Harry! Du bist brav.
  O Miß! nimm mein altes Haupt an Deine Brust. O
  wie herrlich hier zu liegen! Es war mir so närrisch in
10 dem Feuer heut. – O meine Kinder! ich kann die
  Freude nicht mehr ertragen, ich fühle daß ich am
  Ende meiner Laufbahn bin.

[100]   Siebente Scene.

                Mohr. Vorige.

15 M o h r. *(zu des Kapitains Füßen.)* O Lord! Lord! lieber
  Lord! Du blutst!

K a p i t a i n. Faß Herz, Junge! und hohl mir die Kugel aus der Wade. *(siehts genau an.)* Es ist neben ein
  gegangen! Bey Gott, Berkley! Eine Ehrenwunde! Küß
20 Deinen Sohn! he meine Schwester!

B e r k l e y. Gottlob, das hat mich nicht wenig geplagt.
  (küßt ihn.)

M o h r. O weh! was ein Loch!

K a p i t a i n. Narr! pack an! – he! das wust ich doch
25 Vater, daß ich feste stund.

B e r k l e y. Laß doch den Feldscheer kommen!

K a p i t a i n. Nein! Ich will keine Wunde haben.

                Achte Scene.

                Wild. Vorige.

30 W i l d. Miß! liebe Miß! – He, schon da Mylords! Ver-
  dräng das Gefühl, Wild! – Guten [101] Tag! So
  komm ich dann um Dich abzuholen, Kapitain! Meine

---

3 *Reputation:* frz., guter Ruf; Leumund.

Wunde ist tief, und wenn ich nicht ersticken will, muß ich Rache haben.

C a r o l i n e. Karl! Du Karl!

W i l d. Still Miß! und habe Mitleid mit mir. Rache für Bushy, Kapitain!   5

K a p i t a i n. Ich hab eine Kugel hier, und mag jetzt nicht.

W i l d. Setz Dich zu Pferd! He Feiger! wenn Du mich auf Deinem Schiff hättest, nicht wahr? Ich zerreiß Dich wie ein wildes Thier, wenn Du nicht zur Stunde kommst.   10

B e r k l e y. He Bushy! lerm nicht. Wir sind da.

W i l d. Gut, Mylord!

K a p i t a i n. Laßt mir ein Pferd satteln. Diese Kugel soll stecken hier, und Du sollst mir nicht lange posaunen.   15

W i l d. Herrlich! Miß! Lebe wohl Miß! – O Jenny! lebe wohl!

C a r o l i n e. Du gehst – gehst so – Karl! ich verlaß Dich nicht!

W i l d. Liebe! schone! ach schone. *(beyde ab.)*   20

B e r k l e y. Hm! bin ich wieder so verworren! so schwach! – He! Harry! Du sollst Dich nicht [102] mit ihm schießen. Was? mit dem Sohn eines Feindes? ha! und warum? weil Du Deinen Vater gerochen hast? Geschworen seys bey dem Schatten meiner lieben   25 Lady! Du sollst nicht! Hat sein Vater mich um alles gebracht, um Ruhe und Glück! Ich will meine ausgeweinte Augen eher ausreißen, ich! Du sollst nicht! ha! komm nur!

K a p i t a i n. Helft mir von der Kugel, und ich helf   30 ihm vom Leben! *(ab.)*

Neunte Scene.

Garten.

Wild. Caroline.

W i l d. O Miß! Miß! dieser Tag war gut. Der half   35 meinem Herzen in etwas heraus, aber so wie ich hieher

komm, und so wie ich hier steh vor Dir in diesen
Gefühlen – Jenny! warum mußt ich zurückkehren?
Warum verschont bleiben? und sah so viele um mich
hinsinken. Ich muß Rache haben, Miß! von Deinem
Bruder! fühle Grimm hier, fühle Liebe hier – fühlst
Du Jenny, siehst Du? ich steh so an dem Abgrund des
menschlichen Beginnens – am Ende des menschlichen
Gefühls, [103] denn es reißt hier, Miß: *(auf die Brust
zeigend)* und zerspringt hier! *(auf die Stirne zeigend)*
und hier Dein Bild, das ich nicht will, und immer
mehr, immer heißer will – Jenny, alle Qual! alle
Liebe!

C a r o l i n e. Ist denn nichts da das rette? Ist denn
nichts da das helfe? – Komm hier in meine Arme, lieber Geängsteter! Laß Dir Ruhe geben, Laß Dir Liebe
geben! Nur diese Blutgierde, diese Rachgierde nicht!
Vergieb meinem Bruder! nein, Du kannst nicht. – – –
Karl! so still und todt – – und ich so ganz ohne Ret-
tung unglücklich. – Ich wollte so eben meine letzte
Stärke aufbieten. Sie schwindet hin, und ich! – ach
ich hatte den, nach dem ich rief und seufzte! – er ward
mir gegeben! Karl! und so endets?

W i l d. Verbirg deine Thränen! Verbirg dein Leiden!
Verbirg mir deine Liebe, Nein, gieb mir Liebe, daß ich
bis auf den zerstörenden Augenblick lebe und emp-
finde. Es hat mich schon so taub und fühllos gemacht,
und nur das Theilnehmende deiner liebenden Augen
löst die Starrheit auf, und läßt mich in dem erschreck-
lichen innern Zerreissen etwas fassen, woran ich halten
kann. O Jenny! wie kann das [104] dein Bruder
seyn! Der Mörder! – O es ist Sünde, es vor deine
Ohren zu bringen, ich fühl wie es deine Nerven trift
– es will nicht mehr über meine Zunge, es ist mir so
tief im Herzen, und spannt meine Brust aus. – He!
so sollst du haben, lechze! und lechze! und hast ja
all meine Sinnen gefangen. – Miß! Miß! was ist dir
dann?

C a r o l i n e. Laß mirs nur noch dunkler werden vor
den Augen, und schwerer hier. Ich geh zu Ende, so
gern zu Ende – Du zerstörst so gewaltig.

Zehente Scene.

Mohr. Vorige.

M o h r. Lord! Lord! find ich dich endlich? – Ach! habe
dir zu erzählen. Lieber Lord! – schick nur die Miß
weg, lieber Lord!   5

W i l d. Laß mich, Junge, jezt!

M o h r. O Lord! Lord! ich wollte dir vom alten Mann
reden, der mich liebt, und den ich liebe. Es ist ein
grauer Kopf, nicht todt! *(leise.)* glaub mir! bey allen
Göttern! ich hätt mich lie[105]ber mit ihm in die See 10
gestürzt – er ist nicht todt!

W i l d. Willst du mir vorlügen?

M o h r. Sie leben beyde. Sey nur freundlich, und dann
will ich dirs erzählen. Ach! der Schiffslieutenant, ein
guter Mann, nahm sich ihrer an. Ich bettelte so lange 15
zu seinen Füssen, bis er einwilligte. Wir belogen den
Kapitain, als wären sie in die Barke gesetzt, und die
Barke schwamm doch leer weg. Ha! ha! ha!

W i l d. Herrlicher Junge! – Miß!

C a r o l i n e. Wie, neues Leben! wie, neue Kraft! 20
(fassen den Jungen an.)

M o h r. Wir versteckten die Alten in einen kleinen,
kleinen Winkel, und ich stahl ihnen Zwiback und
Wassers satt. Aber nur verrath dem Kapitain nichts,
und du auch nicht, Miß! er würde mich fortjagen, oder 25
todt peitschen.

W i l d. Göttlicher Junge! Wo sind sie?

M o h r. Still nur, und verrath mich nicht.

W i l d. *(ihn umfassend, aufhebend und starr zum Himmel sehend.)* Mein Vater lebt!   30

C a r o l i n e. *(an seinen Hals.)*

M o h r. Jobs! Jobs! Gieb acht Lord!

---

32 *Jobs! Jobs!:* sonst unbelegte Formel. Etwa: ›Mein Gott!‹

[106]   Eilfte Scene.

Lord Bushy mit langsamen, matten Schritten. Da er sei-
nen Sohn gewahr wird, seine Kraft zusammenfassend,
ohne ein Wort zu reden, in Wilds Arme sinkend.

5   W i l d *(erstarrt in Freude.)*
     L o r d B u s h y. *(nach langer Pause.)* O bin ich da!
     W i l d. Vater! an deinem Herzen wieder ich!
     C a r o l i n e. Mylord! auch ich!
     L o r d B u s h y. Bin ich da! Halte mich, Karl! So we-
10   nig Othem, so wenig Kraft für die Freude!
     W i l d. Hab ich das wieder funden! *(Jenny und seinen*
       Vater umarmend.) Herz! Herz! wie wohl kann dir
       werden! Diese Silberlocken! Dieser Anblick! Hab ich
       das all wieder!
15   L o r d B u s h y. All wieder! ganz wieder, deinen
       Freund und Vater! Laß mich nur ein wenig zu Athem
       kommen!
     M o h r. *(den Alten umhalsend.)* Bist du mir gut, Vater?
     L o r d B u s h y. Komm doch, Lieber, leg dich zu mir!
20   [107] M o h r. Der Kapitain.
     L o r d B u s h y. Laß ihn kommen. Hab Waffen hier.
       (auf Herz zeigend.)
     C a r o l i n e. Mylord! ach Mylord! hassen Sie mich
       nicht! – wenn Sie mich kennen –
25   L o r d B u s h y. Ich hasse nichts, meine Liebe. Meine
       Augen sind trübe geworden, wer sind Sie, Miß?
     W i l d. Sie haben mir erlaubt, mein Vater, die in allen
       Winkeln der Erde aufzusuchen, die meine Seele hatte.
       Ich hab sie gefunden – Jenny! meine Jenny! Habe sie
30   gefunden, und jezt erst fühl ich wieder, was ich ge-
       funden habe.
     L o r d B u s h y. Berkleys Jenny! o die ich Tochter
       nannte, eh noch Haß uns schied, und immer liebte,
       komm in meine Arme! Wohl mir, Dank dir für alle
35   Stunden, die du mir sonst mit deiner Liebe ver-
       süßtest, und Dank dir für diese Liebe, Miß! Und
       Dank dir schwarzer, guter Junge, daß du mich dieser
       Stunde aufbehalten hast! Weißt du Karl, was du dem

Knaben schuldig bist! Er beschrieb dich mir in deinem
Leiden, deine Angst, ach! wie leicht erkannt ich dich!
– hat er dir erzählt?

[108] **W i l d.** Alles, mein Vater! alles!

L o r d B u s h y. Nun Miß, und immer meine Tochter!   5
die Liebe hat meinen Sohn gut geführt. Wo ist Berkley? bist du ausgesöhnt, Karl? führt mich doch zu
ihm!

C a r o l i n e. Mylord! nein!

L o r d B u s h y. Haßt er mich immer noch?   10

W i l d. O mein Vater! so eben war ich im Begriff –
Lassen Sie uns fliehen und nicht weiter reden. Ich
vergebs dem Alten, und dem Kapitain, da Sie da
sind. Jenny! wirst du uns verlassen?

L o r d B u s h y. Seyd Ihr ruhig. Ich will mich Berkley   15
darstellen, was kann ihm mein Anblick Zorn einjagen,
er muß ihn versöhnen. Hab ich ihn doch gesucht, und
da ich ihn finde – ich bin da, bleibe da, Karl!

W i l d. Ich kann nicht da seyn und ihm vergeben. –

L o r d B u s h y. Warum nicht? Friede und Ruhe ist in   20
meine Seele gekehrt, sie wird auch zu Berkley ein-
kehren. Ich hab nichts gefunden in all meinen Verirrungen, als dies, und habe alles gefunden.

[109]   Zwölfte Scene.

Kapitain, Berkley. (hastig nach.)   25

B e r k l e y. Harry! Harry! He Harry! du sollst nicht!

K a p i t a i n, *(zu Wild.)* Wo bleibst du denn, he? –
Was hier, Miß? – *(indem er Lord Bushy gewahr wird.)*
Ist das Traum? he, Mylord Bushy, bist du Fleisch
und Bein?   30

B e r k l e y. *(fährt zusammen.)*

L o r d B u s h y. Ich bins, Kapitain.

K a p i t a i n. Teufel und Hölle! Hat dich die See so
lieb? Vater, es ist Bushy, der alte Bushy!

B e r k l e y. Ich seh es ja, ich fühl es ja. Komm doch fort   35
mit mir, Harry! Es geht mir so warm ums Herz –

L o r d B u s h y. Lord Berkley!

Berkley. Nur deine Stimme nicht! ich fürchte deine
Stimme! Was für Anschläge wider mich führen dich
hierher?

L. Bushy. Anschläge des Friedens und der Liebe.
5 *(will seine Hand fassen, er hält sie zurück)* Reue meines
vergangenen Lebens: Vergessen der wilden Lei[110]-
denschaften! Mylord! ich hab alle Sünden auf mich
genommen, hab eine Pilgrimschaft vollendet hier, voll
Kummer und Leiden, laß mich hier die Fahne der
10 Ruhe aufstecken!

Berkley. Geh doch nun weg hier! — Komm fort,
Miß! daß ich nicht in Versuchung komme, zu diesem
oder jenen.

Lord Bushy. Berkley! bist Du noch nicht da wo
15 man Ruhe gern fühlt?

Kapitain. Nu Sir! meine Pistolen und Pferd ist bereit, meine Wunde vergessen.

Wild. Ich hab Dir vergeben, Kapitain, da ich ihn
wieder fand.

20 Kapitain. Und ich Dir nicht, Sir!

Berkley. Kömmst Du bald zu mir, Miß! was stehst
Du da unter Bushys?

Caroline. O mein Vater!

Wild. *(sie umfaßend.)* Sie ist mein, Mylord! Du gabst
25 mir sie als ich Knabe war, sie ist mein!

Berkley. Soll ich Dir fluchen, Miß! komm Kind!

Caroline. Mein Vater!

Kapitain. Berkley! ich werde toll hier!

[111] Wild. *(die Miß umfaßend)* Wir wollen weg
30 hier, Grausame! Aber die Miß geht mit. Hier ist
Pistole, und hier ist Tod! Nehmt sie!

Kapitain. Laß mich ihn doch niederschießen, Mylord!

Berkley. Hund Du toller! *(Wild hält Miß so fest*
35 *in seinen Armen.)* Da knall sie mit nieder, und alle
Welt Anmuth liegt begraben für mich. Sieh das Mädchen an so schön und gut, und so häßlich in Bushys
Armen. Liebe Miß! will Dich locken! mit Liebe lok-
ken! willst du nicht bald kommen, schöne Miß! willst
40 Du wohl! Komm doch, liebes, sittsames Kind zu

deinem alten Vater! Du nur allein kannst seine Nerven sanft und mild stimmen, das fühl ich so eben.
Komm doch nur, ich will die Bushys ruhig ziehen
laßen.

W i l d. Soll ich hier mein Leben enden, Miß?   5

C a r o l i n e. Vergebet! mein Vater vergeßt! *(nach Berkley immer reichend, von Wild wieder zurückge-
halten.)*

B e r k l e y. Pfuy Miß! schäme dich! Ich bitt dich,
Mädchen, bring mich nicht auf. Miß! ich bitt, ich flehe   10
dich, und meine graue Haare, mein alter Kopf, halts
nicht mit meinen Feinden, und komm geschwinde zu
mir! Komm doch, Kind! Du [112] pflegtest und wartetest mich, ich will jetzt Dich pflegen und warten. He
Miß! soll ich wahnsinnig werden, Miß? Soll ich Ekel   15
und Haß für mein Kind kriegen? Dich verfluchen und
die Welt? es wird mir toll ums Herz, Miß!

C a r o l i n e. Ich bin Dein Kind, Lord! Dein gutes,
treues Kind!

C a p i t a i n. Sie spielen mit uns, Vater!   20

B e r k l e y. Nur diese Gnade, lieber Himmel! daß ich
dieses Kind vergesse! aus diesem verworrnen Drang
komme!

L. B u s h y. Berkley, wir nannten uns einstens Bruder.
Lebten in Freundschaft und Liebe. Ein böser Geist   25
trennte uns. Mir ist die vorige Empfindung längst
zurückgekehrt, sollte es bey dir nicht geschehen können? Bruder!

B e r k l e y. Rede nicht! Bushy rede nicht! ich haß und
hasse, lieb und liebe!   30

L. B u s h y. Dein Haß ist mir schwer gefallen, jetzt
verdien ich ihn nicht mehr. Sieh ich stehe am Rande
des Grabes. Gedanken der ewigen Ruhe haben längst
meine Seele gefüllt, und geben mir Stärke, jemehr
mein schwacher Körper zusammen sinkt. Berkley, da   35
lügt man nicht, [113] und ich thats nie. Hier, wo
Wahres vom Falschen getrennt wird, sag ich Dir, daß
ich unschuldig bin am Verheeren Deines Hauses, an
Deiner Verbannung. Der es that, liegt längst im Thale
des Todes verschlossen. Ruhe seiner Asche! sein Name   40

und seine Triebfedern sollen nicht über dieses Herz
kommen.

B e r k l e y. Du hättest das nicht gethan? – alter Heuchler!

L. B u s h y. Es ist hart, Berkley! mein Angesicht spricht
für mich, und meine Offenheit, die mich viel gekostet
hat. Unser Unglück war Mißverständniß, daß wir
nach einem Ziel trieben, unsere Interessen sich an einander stiessen, meine zu hastigen Leidenschaften, und
Deine noch feurigere. O Mylord! was erhielten wir!
was wurden wir Beyde? Laß uns alles gut machen,
laß uns in Liebe leben!

C a r o l i n e. O mein Vater! es ist alles so wahr was
Mylord sagt – *(an seinen Hals)* Deine Jenny! Du bist
erweicht!

W i l d. Edler Berkley!

K a p i t a i n. Es ist schändlich, sich vertragen wie
Weibsleute am Ende.

[114] C a r o l i n e. Harry! lüge Dir keine Empfindung
an! Ich seh Dir an, daß Du gerne wünschtest –

K a p i t a i n. Geh doch! – ich will auf mein Schiff.

L. B u s h y. Bruder Berkley, ich will mich rechtfertigen
vor Dir, nur erkenne jetzt mein Herz rein!

B e r k l e y. Ich kann Dich nicht lieb haben – bleibe
hier!

L. B u s h y. *(ihn umarmend.)* Ich erkenne Dich.

B e r k l e y. Laß mich nur! es ist mir so wirr noch, bleibt
nur hier beysammen!

W i l d. Brav Mylord! und Du Capitain?

K a p i t a i n. Ich weiß das noch all nicht. Komm Knabe!

B e r k l e y. Bleib Harry!

K a p i t a i n. Es mißfällt mir ja. Ich muß erst einig mit
mir werden, eh' ichs mit andern werden kann. Mohr!
Mohr!

M o h r. Hier lieber Lord!

K a p i t a i n. Komm mit, und mach mir Spaß! *(ab.)*

[115] M o h r. Ja weinen für Freude, wenn Dir das
Spaß macht. *(ab.)*

B e r k l e y. Komm, Bushy, die Allee hinab, ich will
versuchen, ob ich mich mit Dir vertragen kann. Ich

kann Dir noch über keine meiner Empfindungen Wort
geben, haß Dich noch, und – es fällt mir so vieles ein
– Komm nur! *(ab.)*

W i l d   u n d   C a r o l i n e   *(in allem Gefühl der Liebe
sich umarmend.)*   5

Der Vorhang fällt zu.

DOKUMENTE ZUR ENTSTEHUNGS-
UND WIRKUNGSGESCHICHTE

F. M. Klinger in Briefen an Ernst Schleiermacher über sein
Drama und briefliche Aufnahmen des Titels in übertragener
Bedeutung:

[Weimar den] 4 Sept. [1776]
Ich schreibe eine Comoedie der *Wirrwarr* die bald zu End ist
– und wo du einen HE. [= Herrn] Wild, Blasius und La Feu
sehr lieb kriegen wirst. Ich hab die tollsten Originalen zusammengetrieben. Und das tiefste tragische Gefühl wechselt
immer mit Lachen und Wiehern. Ich bins Willens nach Hamburg zu schiken. [...] Schröder bitt mich sehr um ein neues
Trauerspiel und wenn ich also für meinen Wirrwarr 20 K.
[= Karolin] ziehen könnte – wär das ja gut.

Weimar 12 Sep. 76.
dann hab ich ein Drama geschrieben das toll ist und dich
amüsiren wird, und das noch nicht fertig ist, und womit
ich 20 Louisd. [= Louisdor] verdienen will, weil Schröder
gern was haben will. Es kommt noch auf einige Scenen an
– denn kannst du comisch und tragisch mit einer bittren
Sauce zusammen verschlukken.

Dressden [Spätherbst 1776]
Kommende Woche wird hier ein neues Stük von mir aufgeführt *Sturm und Drang*. Es wird einen Schmauß für deinen starren, wilden Sinn geben.

Dresden [Ende 1776]
Vielleicht daß ich dir mit dem Geld an meine Mutter *Sturm
und Drang* schik. Das liebste und wunderbarste was aus
meinem Herzen geflossen ist.

Dressden [Januar] 77.
Mit Feuer Ströhmen braußt mein Genius in Sturm und
Drang.

Leipzig d. 17 Merz 77.
Meine Situation ist drang und Leidensvoll und wars, seitdem
ich dich verließ von allen Seiten, an allen Orten.

Leipzig d. 3 April 76 [= 1777].
Ich lebe so hin, bald in Drang und Sturm, bald im gelinden
Säußlen, unter Musik, Comoedie und Spiel, Musen und etc.
[...] Am Dienstage führten sie hier Sturm und Drang von
mir auf, und eröfneten damit die Bühne. Es ist meine Lieb-
lings Arbeit – und da saßen sie nun, konnten nicht fassen
und begreifen, und doch schüttelte sie das Ding mächtig zusammen. Von Mannheim aus schik ich dir das Mpt [= Ma-
nuskript] nach Göttingen nebst den Zwillingen.

Frankfurth im August 77.
Wenn ich dir mit einem Federstrich die ganze Stimmung
meiner Seele hinwerfen könnte, nebst dem argen und guten
meines iezigen und vorigen Sommer Situation – so wär mir
vielleicht wohl und dir. Doch das ist nun nicht möglich. Und
das Labyrinth, wilde und wirre meiner Empfindungen zu
detailliren, wär sich in einen Streit der Augenblikke ein-
lassen. Ich leb wie ewig, und ieder von Prometheus wahren
Söhnen im innern Krieg der Kräfte und Thätigkeit mit
den Grenzen die die Menschen den halb Göttern gelegt haben, und das zu ihrer Behaglichkeit, weil sie sonst ewig
ecrasirt würden. Bruder! der Menschen Sache sind zwey:
Schaffen und Zerstöhren, und wer keins von beyden zur
vollen Befriedigung seines Gefühls (so hoch es gehen mag)
treiben kann, der lebt wie ich.

Max Rieger, Klinger in der Sturm- und Drangperiode.
Darmstadt: Arnold Bergsträsser 1880. S. 398 f.; 399;
403; 404; 405; 407; 409.

Klinger an Goethe

26. Mai 1814
Wenn ich Ihnen nun einiges über meine Schriften, zur Auf-
richtung eines ferneren Denkmals, zu meiner Erinnerung,
wie Sie mir freundschaftlich zu sagen belieben, hinzufüge,
so geschieht es, soweit es mir gönnet, um Ihren gütigen
Wunsch zu erfüllen. Ich muß aber gleich damit anfangen,

Ihnen anzuzeigen, daß ich alle die älteren, *die Zwillinge* von 1774 und *die falschen Spieler* von 1780 ausgenommen, gänzlich verworfen habe, und daß in der Sammlung meiner *Werke* nichts erscheinen wird, als das, was ich im Laufe dieses Schreibens nennen werde. Alles dieses ist von 1781 bis 1805 in Rußland geschrieben worden[1]. [...]

Das Letztemal, da ich Sie sah, war in Weimar, während des ersten Sommers Ihres dortigen Aufenthalts, zu jener Zeit, als ich hoffte durch Vermittlung der unvergeßlichen Herzogin Amalie, in Amerika, meine militärische Laufbahn anzutreten. Ich schrieb damals im Drange nach Tätigkeit ein neues Schauspiel, dem der von Lavater (er ruhe sanft!) zur Bekehrung abgesandte Gesalbte oder Apostel, mit Gewalt: den Titel: *Sturm und Drang* aufdrang, an dem später mancher Halbkopf sich ergötzte. Indessen versuchte dieser neue Simson, da er weder den Bart mit dem Messer schor, noch Gegornes trank, auch an mir vergeblich sein Apostelamt. Er rächte sich dafür. Hätt' ich mich, bei meiner Abreise, mehr als durch Blicke des Herzens, gegen Sie erklärt, ich wäre Ihnen gewiß werter, als je geworden, aber ich *sollte* es nicht, vermöge dessen was Sie in mir erkannt hatten.

> Max Rieger, Klinger in der Reife. Briefbuch. Darmstadt: Arnold Bergsträsser 1896. S. 161 u. 164.

Leipzig,
den 7ten May 1777.

[...] [167] [...] Seyler eröffnete diese Messe[2] seine Bühne mit *Sturm und Drang*, einem Schauspiel von *Klinger*: der Mohrenjunge und der wahnwitzige Lord sind herrliche Karaktere.

> Theater-Journal[3] für Deutschland vom Jahre 1777. Gotha: bey Carl Wilhelm Ettinger o. J. [1777]. S. 166 f. [Nach dem Exemplar in der Forschungsbibliothek, ehem. Landesbibliothek Gotha.]

1. Vgl. a. a. O., S. 103 in einem Brief an Nicolovius vom 22. September 1807: »Auf den Titeln setzt man zu *sämmtliche Werke*: geschrieben von 1774 bis zu 1805. – so lange dauerte Teutschland – u ich habe als Teutscher geschrieben, welche unterstrichene Anmerkung aber nicht zu drucken.«
2. 1. April 1777 (vgl. Nachwort S. 155).
3. Herausgeber des *Theater-Journals* war Johann Friedrich Reichardt.

(Heinrich Leopold Wagner)

Eilfter Brief

Montags den 2ten Junii 1777

Sturm und Drang.

Wie heißt das Stück? fragte fast jedermann, als es verwichnen Sonnabend angekündigt wurde: *Sturm und Drang!* –
[132] Sturm und – –? und *Drang!* mit dem weichen *D* und hinten ein *g*; ja nicht mit dem harten *T* oder dem *ck*! So, so! Sturm und Drang also! – Aber wenn ich bitten darf, was heißt das wol? ich kann mir nichts dabey denken! kommt etwa ein Sturm drinn vor? – das ich nicht wüßte! – oder ist's der Sturm[4] von *Schakespear*? – auch nicht! *Klinger* verehrt diesen großen Dichter viel zu sehr, als daß er sich an ihm so schändlich versündigen sollte. – Je nun, so weis ich mir gar keinen Begriff davon zu machen. – Desto schlimmer für den Verfasser oder für Sie! Denn wenn sie beym Titel nichts fühlen, kann ihnen das Stück selbst unmöglich behagen. Ich finde es sehr lobenswürdig, daß er diese abstrakte, methaphysische – gewiß nicht zu viel anziehende – Ueberschrift gewählt hat; so teuscht er doch wenigstens keine Seele durch leere Erwartungen, wie bey andern vielversprechenden Titelblättern wol zu geschehen pflegt. Wer fühlt oder auch nur ahndet, was Sturm und Drang seyn mag, für den ist er geschrieben; wessen Nerven aber zu abgespannt, zu erschlafft sind, vielleicht von je her keinen rechten Ton gehabt haben; wer die drey Worte anstaunt, als wären sie chinesisch oder [133] malabarisch, der hat hier nichts zu erwarten, mag immerhin ein alltägliches Gericht sich auftischen lassen. –
Daß sein Stück, bey der ersten Vorstellung wenigstens, an keinem Ort – es müßte denn allenfalls in Hamburg seyn – diejenige Wirkung thun würde, die jedes andre mit mehr Spektakel, Sentenzen, Exklamationen und Theaterstreichen angefüllte Marionettenspiel gewiß thun muß, konnte der Verfasser, wenn er das hörende und richtende Publikum nur halb weg kennt, schon zum Voraus an den Fingern ab-

4. Shakespeares Drama *The Tempest.*

zählen. Wer heißt ihn aber auch den Piquekönig ohne die
Harfe vorstellen, und dem Herzmonarchen den Reichsapfel
in die linke Hand geben, da er ihn doch seit undenklichen
Zeiten, vermöge des hergebrachten Kartenkostums in der
rechten Hand trug. Wer gesehen und bewundert werden
will, muß hübsch auf ebnem gebahntem Wege gehn, wo ihm
recht viele Leute begegnen, verläßt er ihn – eine sich ihm auf
der Seite darstellende Felsenhöhe zu erklettern – so wird er
diesen ein Sonderling, jenen ein Waghals, allen aber (wenn
er dem Gipfel sich nähert) ein Zwerg scheinen. – – Sind
denn aber die Figuren dieses Stücks wieder so in ihrer kolos-
salischen [134] Größe hinkrokirt[5], wie in der *neuen Arria*
und dem *Simone Grisaldo*[6]? Nein! der Verfasser nahm sich
mehr Mühe sie zu vollenden, zu ründen; bearbeitete sie mit
mehr Rücksicht auf Theater und Vorstellung; nahm sich wol
in acht, kein ganz überflüssiges Bild seiner Gruppe einzu-
flechten. Folgende Skizze, die ich Dir Deinem Begehren gemäß, davon entwerfen will, mag dir dieses beweisen.
Find'st Du ein Ganzes darinn, so kann ich unmöglich Unrecht haben, so ist es vielmehr aller derjenigen, die nicht
wußten, was sie draus machen sollten, ihr eigener Fehler.

Lord *Berkley*, ein wackrer, feuriger Mann verlebte in London – wo er einen ansehnlichen Rang bey Hof, und ein
schönes Vermögen besaß – in dem Schoose seiner Familie, in
den Armen seiner geliebten Gemahlin und zweyer noch
nicht erzogener Kinder, viele wonnevolle Jahre; fand in
dieser seiner häuslichen Glückseligkeit – die in der That der
erste Grundstein aller menschlichen Freuden ist – seine ganze
Existenz, lebte und webte nur in ihr, nur durch und für sie.
In seinem Sohne *Harry*, einem *braven, ungestümmen, eigensinnigen Jungen*, wie er [135] ihn selbst beschreibt, sah er
die künftige Stütze seines Alters, den Mann von Kraft und
Wirkungsgeist heranwachsen; mit seiner liebenswürdigen
zärtlichen Tochter Miß *Karoline*, wollte er den Sohn seines
Busenfreundes *Karl Bushy*, gleichfalls einen braven, rüstigen,
wilden Knaben glücklich machen, und träumte von nichts als

5. hinkrokirt: frz., schnell entworfen, skizziert.
6. die 1776 erschienenen Dramen Klingers.

Freuden der Zukunft. Auf einmal schwanden die süßen
Hoffnungen, die rosenfarbnen Aussichten alle mit einander
dahin, zerschmolzen wie Schneegestöber vor der Mittags-
sonne. In einer unglücklichen Nacht wurde sein Haus – eben
da er im tiefsten Schlaf begraben lag – von einer feind-
seeligen Kabale überrumpelt, und wie er nun des Morgens
aus seiner starren Taubheit erwachte, weder seinen Sohn
noch seine Frau fand, nur Miß *Karoline* kalt und erstarrt
ihre zarten Hände um seinen Hals schlang, zitternd den
kalten Schweiß ihm von der Stirne wegstrich, und nun ein
Bote kam, *todt deine Lady*! und wieder ein Bote, *verschwunden dein Harry*! o wer faßt da seinen endlosen
Schmerz? so viel verlohren, seine endlose Freude eins seiner
Kinder gerettet zu haben! verbannt noch über das zieht er
nun mit dem noch einzigen Ueberbleibsel seines Wohlstan-
des, unter einen andern Himmelsstrich, [136] und findet in
Amerika Sicherheit gegen die Verfolgungen seiner Feinde,
an deren Spitze – Lord *Bushy* steht. Wer jemals erfahren
hat – und wie sehr bedaure ich ihn! – was es heißt, in einem
vermeinten Busenfreund einen Verräther zu finden, der
wird's dem guten Alten gewiß verzeihen, daß er dieser
heßlichen Untreue, die ihm die Wurzel aller seiner Empfindungen bis auf's Mark angefressen hat, durch die er auf
sein ganzes Leben unabsehlich elend geworden, sich bey jedem geringsten Anlaß erinnert, nur sein voriges Glück,
jetziges Jammerleben und Lord *Bushy* denken kann. – Dieser letztere wird indessen nichts glücklicher; auch Er wird
wieder gestürzt; bereut nun den Antheil, den er an *Berkleys*
Sturz gehabt, wünschte seinen Haß dämpfen, sich mit ihm
aussöhnen zu können. Seinem Sohn hat er erlaubt, seine
ehemalige Geliebte, Miß *Karoline*, in aller Welt aufzusuchen, er selbst zieht schon am Rande seines Grabes noch
von Ort zu Ort, den Vater zu finden. Viele lange Jahre
haben beyde vergebens damit zugebracht, bis auf den
Augenblick, da der innre Drang, der den *Karl Bushy* beherrscht, ihn nach Amerika hintreibt, und sein Vater durch
ein Ungefähr gleichfalls dahin [137] aufgebracht wird. Hier
hebt das Stück an: – *Wild*, (denn unter diesem Namen versteckt sich Lord *Bushy's* Sohn) der nur noch an Tumult,
wildem Geräusch, und ewigem Wirrwarr sich laben kann,

nur an Schlägereyen, Gefecht und Kriegsgetümmel noch Freude findet; der, weil er nicht hat, was er wünscht, wornach er einzig und allein sich sehnt, nur da lebt, wo er nicht ist; der für nichts Gefühl hat, für nichts existirt, als für das Ideal, das allgegenwärtig seiner Seele Tag und Nacht, wo er geht und steht, vorschwebet, dieser gewiß nicht uninteressante Junge, eröfnet die Scene mit zweyen seiner Bekannten, die er, Kraft des Uebergewichts, das der Mann von Kopf immer über schwächere behaupten kann, so oft und sobald er will, führt und leitet, wie und wohin es ihm beliebt. Aus Rußland hat er sie Hals über Kopf nach Spanien kutschirt, und weil es dort keinen Krieg geben wollte, hat er sie – ohne sich weiter eben um ihre Einwilligung zu bekümmern – mit verbundenen Augen auf ein Schiff gepackt, und kommt nun so eben in Amerika an. Dies sieht nun zwar freylich einer widerrechtlichen Gewaltthätigkeit so ziemlich ähnlich, ist's im Grunde aber doch nicht. Leuten wie *Mon*[138]*sieur la Feu* und Herr *Blasius* sind, kann es vollkommen gleich gelten, welche Luft sie einathmen. Wer wie der erste *Alles*, und wie der zweyte *Nichts* ist, kann sich die sichre Rechnung machen, allenthalben fortzukommen, allenthalben ein Ansehen zu finden, an dem er sich halten kann. *Jener*, ein geistiger Phantast von romanhaften Ideen über und über angefüllt, mit einer übertrieben warmen Phantasie begabt, in ewiger Illusion schwebend, so platonisch empfindsam, als hätt' er vormals nichts als Nektar und Ambrosia genossen, und nährte er sich noch jetzo nur von dreymal gereinigtem Aether, hält es für ein Leichtes, durch den Zauber seiner Einbildungskraft, das schwarze gothische Haus gegen über mit samt dem alten Thurm in ein Feenschloß zu verwandeln, will in das erste beste alte Weib sich verlieben, in ihren Runzeln sich Wellenlinien der Schönheit zudenken; was liegt denn ihm daran, ob er im neuen oder im alten Welttheil seine Phantasie strappaziren muß? – *Dieser*, eine blos sinnliche Maschine, die schon ziemlich ausgeloffen ist, und nur dann in Bewegung geräth, wann sie von außen her einen Stoß erhält, auch sobald dieser äußere Druck aufhört, gänzlich wieder still steht, [139] und ihre angeborne vim inertiae[7]

7. vim inertiae: lat., Trägheit.

obwalten läßt; ein kalter, matter, ausgetrockneter Bursch,
der eh'mals beständig nach Genuß jagte und nun, da er ihn
nicht mehr benutzen kann, alle Schnellkraft verlohren hat,
allenthalben, er sey auch wo er sey, Langeweile empfindet
und verursacht, was kommt es denn darauf an, wo er gähnt?
eine halbe Spanne mehr oder weniger Links – denn größer
ist die Entfernung auf dem Globo doch nicht – kann bey
ihm von keiner Bedeutung seyn: *Wild* hat ihnen also, alles
genau überlegt, weit entfernt ihre Ansprüche auf Freyheit
zu kränken, noch eine Gefälligkeit dazu erwiesen, daß er
sie in eine neue Sphäre versetzt hat. Auf ihr Befragen, was
denn hier am Ende eigentlich draus werden sollte? antwortet
er: »Daß ihr nichts seht! Um aus der gräßlichen Unabhängigkeit[8] und Unbestimmtheit zu kommen, mußt ich fliehen. Ich meinte die Erde wankte unter mir, so ungewiß waren meine Tritte. Alle gute Menschen, die sich für mich
interessirten, hab ich durch meine Gegenwart geplagt, weil
sie mir nicht helfen konnten, da sie doch wollten. Ich mußte
überall die Flucht ergreiffen; bin alles gewesen. Ward Handlanger um etwas zu seyn. Lebte auf den Alpen, weydete
die [140] Ziegen: Lag Tag und Nacht unter dem unendlichen Gewölbe des Himmels, von den Winden gekühlt
und von innrem Feuer gebrannt. Nirgends Ruh, nirgends
Rast! Die Edelsten aus England irren verlohren in der Welt,
ach! und *ich finde die Herrliche nicht, die Einzige die da
steht*! – Seht so strotze ich voll Kraft und Gesundheit und
kann mich nicht aufreiben. Ich will die Kampagne mitmachen als Volontär; da kann sich meine Seele ausrecken, und
thun sie mir den Dienst und schießen mich nieder, gut
dann! Ihr nehmt meine Baarschaft und zieht.« –

Jetzt wirst Du doch schon anfangen, den Titel ohne weitern
Kommentar zu verstehn? – Doch es kommt noch besser,
giebt sich noch deutlicher, was unter Sturm und Drang zu
verstehn ist. – Im dritten Auftritt werden wir in Lord
Berkley's Zimmer geführt: nach der Beschreibung, die ich
Dir schon oben von seiner Empfindlichkeit, von seinem
Karakter überhaupt, und von der Art, wie er sein Unglück

---

8. im Dramentext: ›Unbehaglichkeit‹.

aufnahm, gemacht habe, wirst Du ganz gewiß neugierig seyn, zu erfahren, wie er sich nach so viel langen Jahren beträgt. Weint und jammert er? oder [141] tobt und wüthet er? Oder raßt er, hat er den Verstand verlohren, weil's, wie *Orsina*[9] sagt, doch Dinge giebt, über die man ihn verlieren muß, wenn man anders welchen hat? – Nichts von alle dem! Der gute ehrwürdige Greis, dem Gram und Kummer mehr als die zurückgelegten Jahre das Haupt mit Schnee bedeckt, Bart und Augenbraunen gebleicht, Furchen ins Angesicht gezogen haben, sitzt bey seiner Tochter, die in süßer Schwermuth ein Stückchen auf ihrem Klavier phantasirt, im Zimmer, und ist – nur halb kindisch geworden, weiter nichts! – Denk einmal mein Lieber! nur halb kindisch! Baut sich mit kindischer Herzensfreude ein Kartenhaus; Lord *Berkley*, der ehmals so wirksame, mit seiner Kraft, Thätigkeit und Liebe alles umfassende Hofmann baut sich ein Kartenhaus! Du mußt ihn selbst hören, so ungern ich auch abschreibe, kann ich mir dennoch nicht helfen. »So ganz zum Kinde zu werden! Alles golden, alles herrlich und gut! Dieses Schloß bewohnen, Zimmer, Saal, Keller und Stall! – All des bunten, verworrnen, undeutlichen Zeugs! – Ich finde an nichts Freude mehr! Glückliche Augenblicke der Kindheit, die ihr rückkehrt! Find an nichts Freude mehr als [142] an diesem Kartenschloß. *Bedeutend Sinnbild meines verworrenen Lebens! Ein Stoß, ein harter Tritt, ein leichtes Windchen wirft dich zusammen;* aber der feste, unermüdete Muth des Kindes, der dich wieder aufbaut! – Ha! so will ich mich mit ganzer Seele nein verschließen, und denken und fühlen nichts anders, als wie herrlich es ist, in dir zu weben und zu seyn. – Lord *Bushy*! ja mein Seel ich räumte dir ein Zimmer ein. So unfreundlich du gegen mich warst, sollst du Berkley's bestes Zimmer bewohnen. Ha! es kehrt sich doch immer in mir herum störrischer *Bushy*! so oft ichs rückdenke. Einen von Haus und Hof vertreiben, blos weil Berkley besser und fetter stund als *Bushy* – es ist schändlich. Und doch *dies Zimmer ausgemahlt mit meiner Geschichte*, steht dir zu Dienste. –– Ja wer das zusammen fassen könnte, da mein Herz so klein zu ist. – Ha! Ha! Lord

9. Lessing, *Emilia Galotti* IV, 7.

Berkley! dir ist wohl, da du wieder zum Kind wirst! –
Tochter! Kind! du glaubst nicht wie wohl einem werden
kann, sieh, so eben bau ich *Bushy's* Zimmer. Wie gefällt
dirs? – Wo er sich herumtreiben mag der feindliche [143]
Bushy! – *Von Haus und Hof*! – *Von Weib und Guth*! –
Bushy! es kann nicht seyn! – *Und da mein süßes Kind um
alles zu bringen*! – *Nein Milord, wir können nicht zusammen
wohnen*.« Hier zerschlägt er das Kartenhaus, springt erzörnt
auf, schmählt mit seiner lieben guten *Jenny*, der ein Wort
entwischte, das ihm nicht gefiel; sie sucht ihn zu besänftigen,
ihn zu zerstreuen; er wünscht es selbst, aber es hält schwer;
alle seine Lieblingssachen Kupfer, Gemählde, Blumen, alles
ist ihm gleichgültig geworden; sie versuchen's mit der Musik; *Karoline* spielt ihm vor; es geht aber auch nicht: er ist
immer noch der weiche närrische Kerl aus dem ein reiner
Ton machen kann, was er will; da giebts Töne, die ihm ein
ganzes trauriges Gemählde aus seinem widrigen Leben
durch einen Klang vor Augen stellen: und wiederum andre,
die seine Nerven so angenehm treffen, daß jedesmal, so wie
der Ton zum Ohr kommt, eine der Freudenscenen, die er
ehmals erlebte, dasteht.

Beydes will er nicht; er setzt sich also wieder zu seinem
Kartenhaus; seine Tochter soll [144] zu ihm sitzen und es
ihm wieder aufbauen helfen. »Siehst du!« sagt er ferner zu
ihr, »ich hab's weit gebracht, Gottlob! Zerschlagen und wieder aufbauen! Ha! Ha! – Nu lustig! Nimm du den rechten
Flügel und ich den linken: Und wenn der Pallast steht, so
wollen wir die bleyernen Soldaten nehmen, und du kom-
mandirst ein Bataillon und ich eins. *Wir schlagen uns herum, wie Bushy und Hubert, denn machen wir Komplott,
greifen das Schloß an, werfen den alten Berkley nackend
mit seiner kleinen Jenny und Weib heraus. – Steckens an –
Feuer und Flammen! He Miß*!«

Wie gefällt Dir die Scene? Möchtest Du nicht mit *Karolinen*
dem guten Alten um den Hals fallen, sein unglückliches Gedächtniß bedauern, sein graues Haupt an Deinen Busen
drücken, und den Himmel anflehn, ruhige Vergessenheit auf
ihn herab zu träufeln? Mir wenigstens wird dies herrliche

Gemählde bey jedem Kartenschloß, das mir zu Gesicht
kommt, jedesmal vor Augen schweben. – Nimms nur nicht
[145] übel, mein bester Freund! jetzt eben erst werd ich's
gewahr, daß ich die stärksten Züge mit gröberer, besser in
die Augen fallender Schrift, geschrieben habe: Deinetwegen
hätt ich die Mühe wol sparen können, das weis ich gar wohl;
Du würdest das Wahre und Große, das darinn liegt, auch
ohne diese Vorsicht gefühlt haben: wer weis aber, wem
noch mehr dieser Brief in die Hände fallen kann? wem Du
ihn selbst zu lesen geben wirst? Wie leicht könnte es sich
nun da ereignen, daß einer von den kurzsichtigen Menschen-
köpfen, die nichts sehen, als was man ihnen unter die Nase
stößt, dahinter käme, die besten Stellen grad übersähe, und
Dich und mich dann hintedrein noch auslachte, daß wir
solche Kindereyen schön finden können. Der Fall ist nicht
möglich, meynst Du? Doch mein Freund! doch! – Hab leider
der Exempel schon erlebt.

Gleich nach der Vorstellung, die doch gewiß bey *Borchers*[10]
herrlichem Spiel noch unendlich gewann, raunten sich die
seynwollenden Kenner einander in Ohr, das Ding wäre
ganz artig, *nur hätte das Kartenhaus wegbleiben können!*
Nur wenige hatten mit der [146] Kennerschaft dieser Herren Mitleiden, und fühlten was der Verfasser sie fühlen
lassen wollte. Wenn aber auch diese Wenigen nicht wären,
– wenn sie nicht wären! – Bester! heute noch wollte ich
allen guten Köpfen, die bisher die undankbare Mühe übernommen haben, für's Theater zu arbeiten, den wohlgemeyn-
ten Rath geben, alle ihre Papiere zu Fidibus zu drehen, und
aus ihren Schreibfedern zeitlebens Zahnstocher zu schnit-
zeln! – –

In der Unterredung, die auf diese Scene folgt, fällt es Miß
Karolinen schwer, ihrem Vater es ganz zu verhelen, wie

---

10. David Borchers (1744–1807). Vgl. *ADB* III, 153 f. und *Gallerie von
Teutschen Schauspielern und Schauspielerinnen nebst Johann Friedrich
Schinks Zusätzen und Berichtigungen.* Mit Einleitung und Anmerkungen
hrsg. von Richard Maria Werner. Berlin: Verlag der Gesellschaft für
Theatergeschichte 1910 (= Schriften der Gesellschaft für Theatergeschichte.
Band 13). S. 16 f. und Register.

schätzbar ihr immer noch das Andenken ihres *Karl Bushy*
ist; es entfahren ihr einige entfernte Winke, die den Alten
noch verwirrter machen: Seinen und ihren Haß zu nähren,
zählt er ihr nun alles, was *Bushy* an ihr verbrochen hat,
wieder vor; ist bald rauh, bald weichherzig; freut sich, daß
der Feind bald angreifen wird; will beweisen, daß das
Alter so kalt nicht ist; heißt sie sein Schloß in Verwahrung
nehmen, und geht auf die Parade. *Karoline* zittert vor den
Ausbrüchen seiner Schmerzen; ihr Herz sehnt sich nur nach
demjenigen, dessen Bild ihr beständig [147] vorschwebt; sie
setzt sich zu dem Gespielen ihrer Einsamkeit, dem einzigen
Tröster in ihren Leiden, zu ihrem Klavier hin, spielt einige
Passagen, fährt plötzlich zusammen, und verfällt in schwer-
müthige Träumerey, worinn sie von ihrer Base *Louise* ge-
stört wird. Diese ein leichtsinniges, unbedachtsames Mädchen, eine vollkommene rauh, Koquette, die von jedem geliebt
und angebetet seyn will, ohne jemals wieder zu lieben – das
wahre Gegenbild von der sanften *Karoline* – schwatzt ihr
mit vielem Humor ein Langes und ein Breites von ihren
Liebhabern vor: rechnet an den Fingern nach, wie viel sie
ihrer wirklich beysammen hat; macht über alle und hintedrein über ihre eigne Tante – die ohne zu bedenken, daß
Winter Winter, und Frühling Frühling ist, auch noch jung
thun, und Eroberungen machen will – sich lustig; wird aber
von ihrer Base, die sich die ganze Zeit über nur ihren *Karl*
dachte, keiner großen Aufmerksamkeit gewürdigt. *Lady*
Kathrine, die Tante, kommt voller Freuden, aber zum Unglück auch gar unausstehlich von Schnupfen und Husten geplagt, ihren Nichten den bevorstehenden Besuch von drey
Engelländern anzukündigen, eine Nachricht, die selbst *Karolinen* aufmerksam macht, doch [148] scheint's nur ein Blitz
zu seyn, der ihr vor der Seele vorbeyschoß; alle gehn an
ihren Putztisch sich zur Visite aufzuputzen, und der Vorhang fällt zum erstenmal. –

Im zweiten Akt treten *Wild*, *Blasius* und *la Feu* wieder zuerst auf; das Kammermädchen führt sie ins Besuchzimmer
der *Lady's*; diese werden gleich nachkommen. Der lezte findet schon so was Liebes, Anlockendes im Hereintreten, es
schauert ihm so anmuthig ums Herz, ist ihm doch ganz an-

ders in einem Damenzimmer; Da er vollends hinter ihre Bücher kommt, und gewahr wird, daß es Romanen sind, schöpft er die größte Hoffnung, sie mit süßer Fantasie begabt zu finden. *Wild* treibt sich wieder mit Gespenstern herum, kann mit seinen Gefühlen nicht einig werden; springt von Gedanken zu Gedanken, kann an nichts sich fest halten; hat nur für das Bild seiner Geliebten Augen, erblickt's in der Ferne, eilt auf den schnellen Fittigen der Liebe hin, und so bald er da ist, schwindet es, und verliert sich wieder vor ihm. Er glaubte in diesem andern Weltheil zu finden, was dort nicht war; aber hier ist's wie dort, und dort wie hier. *Blasius* ist wieder so [149] gar nichts, mag so gar nichts seyn; *Wilds* Kraft ist ihm zuwider, drückt ihn todt. *Lady Kathrine*, die alte zärtliche Tante, mit ihrer koquetten Nichte *Louise* erscheinen; *la Feu* seinem Vorsatz getreu, schließt sich gleich an die erstere an, um seine Phantasie recht zu scheeren, macht ihr im abgeschmacktsten Romanenton die übertriebensten Komplimenten, und bald drauf die fad'ste Liebeserklärung, die der Lady Eigenliebe nicht wenig kützelt. *Louise* möchte gern an dem *Blasius* einen Liebhaber mehr an ihren Triumphwagen spannen; er ist aber so wenig – ihr Anblick fällt ihm so schwer! *Wild* kann's nicht mehr bey den fatalen Geschöpfen aushalten und eilt weg; die andern müssen nun seine Flegeley entschuldigen, und dichten ihm Anfälle von Tollheit an: *La Feu* wird immer zärtlicher, phantastischer; *Blasius* je länger je verdrüßlicher und langweiliger; *Louise* verliert alle ihre Munterkeit darüber, kriegt Vapeurs, und proponirt den Herren den Thee im Garten zu trinken, weil ihnen das Zimmer nicht wohl zu bekommen schien; alle ab. –

Karoline, die sie vorbey gehn sah, kommt herein und frägt sich selbst erstaunt, »waren dies [150] die Engelländer?« Sie denkt nichts als ihren *Karl Bushy*: »ja so! just so sah er aus, wie er da eben aus meinen Augen hervortritt, und sich vor mich hinstellt;« und in eben dem Augenblick ihrer phantasirenden Entzückung tritt *Wild* herein. Sie kennen sich noch nicht, aber jedes macht auf das andre beym ersten Anblick eine erstaunende Wirkung: sie waren so klein noch, als sie sich kannten, liebten, getrennt wurden! sind seither so hübsch herangewachsen, haben sich so merklich verändert, und dennoch entdeckt eins in dem andern Züge, die es ihm interessant machen. *Wilds* starrer, forschender, verwilderter Blick, *Karolinens* Unruh zeugen davon zur Genüge. Jener stottert etwas daher, das einer Entschuldigung ähnlich sieht, er hätte sich in der Nummer geirrt; das süße gute Geschöpf vollkommen damit zufrieden, freut sich einen Landsmann mehr zu finden, will seinen Namen wissen; *Wild* heiß ich; – *Wild*, dies ist nicht der Name, den sie zu hören wünschte; er fragt nach dem ihrigen: mein Vater heißt *Berkley*! auf einmal erkennt nun *Wild* in dem herrlichen, leidenden Mädchen, das wahre Bild seiner *Jenny Karoline Berkley*; ganz von innerm Kampf gemartert, wagt er's den holden Namen [151] auszusprechen. Sie erschrickt, fragt mit noch größrer Theilnehmung »Sir, Sir! wer sind Sie?« *Wild* vor ihr niederknieend, ihre Hand ergreifend) »Nein Miß – ich bin – meine Zunge ist so schwach, meines Herzens so viel – ich bin – Miß *Berkley* – (geschwind aufspringend) der Glückliche, der Sie gesehn, der Sie durch alle Welten – (nach der Thür eilend) der Unglückliche – *Karl Bushy*!« – »Mein *Karl*?«[11] ruft Karoline voll Entzückens ihm nach, und fliegt in seine Arme. Bald darauf entsteht zwischen ihrer Liebe und der Furcht vor ihrem Vater – der alle *Bushy's* haßt – ein neuer harter Kampf: welcher von beyden soll sie Gehör geben? Das störrische, unbiegsame Wesen ihres Geliebten macht ihr noch mehr bange. Mit vieler Mühe schmeichelt sie ihm das Versprechen ab, er wolle hier – wo ihn niemand kennt – seinen Namen verbergen, und nun lassen sie beyderseit ihre Empfindungen von Wonne und Glückseeligkeit, sich wieder zu besitzen, ohne allen Zwang sich ergießen. *Wild* umarmt, küßt seine Geliebte, und in dem Augenblick tritt Lord *Berkley* herein, wird ein Augenzeuge dieser Vertraulichkeit, die seine Tochter einem Fremden, den sie zum erstenmal [152] sieht, einem ihm unbekannten verstattet. Ein herrlicher Zug in *Wilds* Karakter, für den es Schad wäre, wenn er unbemerkt entschlüpfen sollte, ist seine edle Aufrichtigkeit, ohne die unmöglich Festigkeit statt finden kann. Wie gefällt Dir die Art, wie er sich entschuldigt?

11. Vgl. die unterschiedliche Redeaufteilung im Dramentext 26, 34.

»*Berkley.* He! was ist das? –
Wild fest.) Ich küßte Milady.
Berkley. Und Du Miß! ließt es geschehn?
Karoline. Mylord!
Berkley bitter.) Adieu Miß!
Wild. Milord wollen Sie mich beleidigen? Ich bitte
Sie Miß! bleiben Sie. – Unmöglich kann Lord *Berkley* einen
Menschen beleidigen wollen, den er nicht kennt. Ich bin ein
Engländer, heiße *Wild*, und wollte Sie besuchen.
Berkley. Brav mein Herr!
Wild. Ich habe gelitten in der Welt, habe gelitten,
und meine Sinnen sind etwas wirr worden. Ungestümm be-
meistert sich oft meiner. Ein Unglücklicher findet in der
Welt so wenig Theilnehmung, ich küßte die Miß – Milord
und wo man das findet – ich küßte die Miß und würde es
gethan haben, wenn ihr Vater gegenwärtig gewesen wäre.«
[153] Wer kann ihm Unrecht geben? Wen wunderts, daß
der alte *Berkley*, dem es auffält, ihn so unglücklich zu sehn,
das andre vergißt, und so gar anfängt, sich für ihn zu inter-
ssiren; nur bemerkt er gleich einen und den andern Zug in
seinem Gesicht, den er nicht ausstehn kann, grad die Züge
hat auch sein Feind, und wo er diesen ertappt, muß er ihn
so lange martern, bis sie verschwinden sieht.
Nun folgt wieder eine ganz herrlich angelegte, von *Borchers*
und *Opitz*[12] meisterhaft gespielte Scene, zwischen Lord
Berkley und *Wild*, wo jener sich bey diesem nach dem
Bushy's erkundigt, und wissen will, wie es ihnen gehe? Dieser dann aus Zerstreuung, Grimm, Bitterkeit zur Antwort
giebt, glücklich! und doch eingestehn muß, der alte *Bushy*
wäre ins Königs Ungnade gefallen, unsichtbar geworden,
hätte Haus und Hof verlassen müssen; der Junge zöge in
der Welt herum ohne Ruhe; elend durch sich, elend durch
das Schicksal seines Vaters. Wie nun der alte *Berkley* von
endloser Rachgier glühend, eine ganz kindische Freude bezeugt, zu erfahren, daß seinen Feinden ihr Unrecht auf
ihren Kopf vergolten worden; an der Erzählung [154] aller
der Unglücksfälle die sie betroffen haben, nicht satt sich

12. Christian Wilhelm Opitz (1756–1810). Vgl. *ADB* XXIV, 368 und
Gallerie . . ., a. a. O., S. 109 und Register.

hören kann, und dann wieder in Betracht der an ihm be-
gangenen Verrätherey ihnen noch unzählige mehr an den
Hals flucht, und dies alles in Gegenwart des *Karl Bushy*
selbst, der sich nicht zu erkennen geben darf, alles mit an-
hören, verbeißen muß! Welche gräßliche Lage! Welcher
Drang! Welcher Kampf! Auch ist er eben im Begriff abzu-
gehn, wird aber von *Berkley* zurück gehalten, muß ihm
noch allerley von *Bushy* und seinem Sohn und *Hubert*
sagen; soll eingestehn, jener wäre ein alter Erzheuchler; da
er dies nicht thun will, sagt *Berkley* ihm ins Gesicht, er
müßte wol seine Parthey nehmen, da er seine Nase trüge.
Wild kann's nicht mehr aushalten, geht ab. *Berkley* dankt
ihm für die gute Nachrichten; es ist ihm nun wohl, da es
schwer auf den *Bushy's* und auf dem *Hubert* liegt; er eilt zu
seiner Tochter, ihr die Freude zu erzählen, und so schließt
sich der zweyte Akt. –

Den dritten Aufzug eröfnen *Blasius* und *la Feu;* beyde können nicht begreifen, warum *Wild* so ausserordentlich freudig
ist, was er haben mag. Jener ist immer so kalt, so kraft-
[155] los; Dieser liegt in einem ewigen Fieber, befürchtet
noch aufzufliegen, wie eine Bombe; ist in die Lady *Kathrine*
sterblich verliebt, will vor ihrem Kammerfenster Nacht-
wache halten, ein Feenmährchen schreiben. *Blasius* hat sich
in Schlaf geplaudert; *Wild* kommt in seinem Wonnegefühl,
die, die ihm Alles ist, gefunden zu haben, hergeschwommen,
da er aber so wenig Theilnehmung bey ihnen findet, eilt er
eben so geschwind wieder ab, sein Gefühl in die Lüfte aus-
zuhauchen.

Seekapitain *Boyet* tritt mit einem kleinen Mohren, den er
nach seiner jedesmaligen Laune bald gut, bald übel behandelt, herein. Unter einem den rauhen wilden Karakter des
Kapitains, und die dankbare geduldige Denkungsart des
Jungen, sehr gut schildernden Gespräche, läßt er sich eine
Pfeife Toback stopfen; wird indem die beiden erst gewahr,
und läßt sie zu seiner Belustigung von seinem Knaben
necken. *Blasius*, der im Schlaf an der Nase gezupft wird,
steht in der Meynung, *Wild* thät es, und schimpft auf ihn.
Kaum hat er seinen Namen genannt, so fährt der *Kapitain*,

der der nemliche ist, dem *Wild* schon dreymal auf [156] Leben und Tod gestanden hat, auf, und will wissen, wo dieser ist. Bald darauf stößt er auf ihn selbst, und sagt ihm ohne weitere Ursachen anzugeben, er könne ihn nicht leiden, könne nicht zugeben, daß er Gottes Luft mit ihm einzöge, seine Faust griff nach Degen und Pistole so bald er ihn nur von weitem erblickte, und somit müßte er sich zum viertenmal mit ihm schlagen; *Wild* kann's – da sie nun einmal an einem Ort nicht zusammen leben können, und er hier leben muß – nicht abschlagen. Der folgende Tag wird zur Schlägerey festgesetzt, *Wild* will noch erst die Bataille mitnehmen, der Kapitain setzt aber den derbsten Fluch drauf, er soll sich nicht drinn todt schießen lassen; und so verwandelt sich die Bühne in einen Garten: es ist Mondschein: Lady *Kathrine* und *Louise* gehn spazieren; jene ganz vertieft in ihren Liebevollen Schwärmereyen, diese bös auf den *Blasius* und aufgebracht gegen den *Wild*, weil keiner zärtlich mit ihr thun will, weil der leztere sich sogar – wie sie ihm schon abgelauert hat – ihrer Base *Karoline* den Vorzug vor ihr einräumt; sie vermuthet, er sey ein ganz andrer, als für den er sich hier ausgiebt; die Tante, meynt *la Feu*, würde ihnen das schon sagen [157] können; beschwört ihn auch, da er bald darauf zu ihnen kommt, bey allen Liebesgöttern, ihr den wahren Namen seines Begleiters des *Wild* zu entdecken. Er erinnert sich's zwar, daß er einmal einen Bedienten fortjagte, der's verrieth, daß er es ihm selbst auch verboten, wie könnte er aber der süßen Zauberstimme seiner himmlischen Göttinn widerstehn? Er löst ihnen also das ganze Rätzel, und führt sie hernach, den herrlichen Abend zu genießen, tiefer in das Gebüsche. –

Nun kommen zwo Scenen, denen zu einer vollkommnen petrarchischen Phantasie[13] nur Reim und Sylbenmaas fehlen. *Wild* vertraut bey der feyerlichen Stille der Nacht, dem Mond und den Sternen, deren Anblick sonst ihm Thränen entlockte, sein Glück an. – Er fühlt nun alles wieder einmal so rein um sich her; versteht wieder das Rauschen der Bäu-

---

13. Wagner verweist auf einen der geistesgeschichtlichen Ursprünge der Geniezeit, das neubelebte Interesse an Petrarca.

me, das Sprudeln der Quelle, das Gemurmel des Bachs,
deutlich ist ihm wieder alle Sprache der Natur; dies alles
that die allmächtige Liebe! – Von gleichzärtlichem Wonnegefühl durchglüht, singt *Karoline* die Antistrophe zu ihrem
Fenster herab; *Wild* fliegt in [158] ihre Arme auf den
Schwingen der Liebe, steht auf den Aesten des Baums und
hängt an ihren Augen, athmet nichts als Liebe. Seine gute,
sanfte *Karoline* weint die ersten Thränen der Freude, aber
mit unter auch Thränen des Kummers. Die Uniform, die er
an hat, die morgende Bataille! Was hat sie nicht zu besorgen
für ihren Vater? für ihren Geliebten? der sie durch seinen
festen Glauben an die Allgewalt der Liebe zu beruhigen
sucht: »Laß mich wandern in Todesthäler; sagt er, hieher
führt die Liebe zurück!« »Und mich,« seufzt seine holde
Schöne, »mich führt die Botschaft zu Dir!« – Lady *Kathrine,
Louise, Blasius* und *la Feu* kommen dazu; die neidische Base
freut sich, sie ertappt zu haben, alle gehn mit Vorsatz ganz
nah an ihm vorbey; in tiefes innres Gefühl aber versunken,
bleibt er unbeweglich, ohne sie zu bemerken, oder sich um
sie zu kümmern, auf dem Fleck stehn, wo sein Herz alles
fühlte, was Schöpfung schuf und der Mensch fühlen kann.

Im vierten Aufzug läßt sich der Seekapitain, weil er vom
Wirth vernommen, es wohne ein Engländer über ihm, beym
alten *Berkley,* [159] der sich auf die morgende Bataille
freut, melden, und wird mit offnen Armen von ihm emp-
fangen. Jeder, der tapfer, feurig, ungestüm ist, muß dem
guten Alten – der sich seinen Sohn immer so vorstellt – willkommen seyn. *Boyets* Anblick trift seine Seele wunderlich;
diesen verläßt alle seine starre Wildheit; schon zehn ganzer
Jahre fuhr er auf der See herum, zu suchen, was – hier vor
ihm steht – seinen Vater! Er ist *Harry Berkley* selbst; an
dem wilden, stieren Blick, dem rollenden Drohaug, dem
festen, dem unerschüttlichen, entschloßnen, erkennt ihn sein
Vater; ahndete es, sobald er ihn zu Gesicht bekam. In seiner
Freude, daß ein so tapfre Seemann sein Sohn ist, bezeugt
sich der gute Greis fast eben so kindisch als in seinem Kummer; vergißt nun alles was er gelitten, und ruft *Karolinen*
herbey, an seinem Glück theil zu nehmen. Sie kommt, er
kann nicht Worte finden, es ihr zu sagen, der Kapitain giebt

ich selbst zu erkennen. Wechselsweiß umarmt sie nun der
beglückte Vater; im Taumel der Freude entwischt ihm der
ein gutes Herz verrathende Wunsch: »Nun geb dir auch
der Himmel deinen Sohn, alter *Bushy*!« Da aber der Kapitain zu wiederholten malen nach seiner Mutter [160] fragt,
und der Vater ihm nun gestehn muß, sie wäre todt, todt
durch *Bushy's* Schuld! zieht er im Wahnsinn – worein dieser
Gedanken ihn zurück stürzt – sein Wort wieder zurück, und
flucht den *Bushy's* aufs neue; wird aber von seinem Sohn,
der sich's verdrießen läßt, den alten Heuchler der See gegeben zu haben, von einer Exträmität zur andern, von dem
tiefsten Grad des Schmerzens zur höchsten Freude, die befriedigte Rache gewähren kann, hingerissen. *Karoline* sinkt
bey der Nachricht ohnmachtig hin; *Wild* kommt dazu, weil
ihn Lord *Berkley* zum Nachtessen invitirt hatte, so wie für
Miß *Jenny* Augen und Sinn, will wissen was es ist? Der
Alte stellt ihm im Kapitain seinen Sohn vor: »Nun dann!
auch das noch!« sagt jener, und schenkt wieder alle Aufmerksamkeit seiner Geliebten, die ihn fortgehn heißt; und
nun erzählt ihm *Berkley* noch eine Freude, noch eine Haupt-
freude! Sein Sohn hat den alten *Bushy* erschlagen, er ist
todt, sein Feind ist todt! *Wild* soll sich mitfreuen. – Fühlst,
was für einen *Drang* in diesem gräßlichen Augenblick seinen
und seiner *Karoline* Busen aufschwellen muß?

Mit der teuflischen Freude eines Schadenfroh erklärt nun
der Kapitain weitläuftig, wie [161] er es angefangen: Unter
einem der schrecklichsten Stürme, hat er ihn und den *Hubert*
in einer kleinen Barke auf die See gesetzt. *Karoline* sinkt
matt hin, auch der rachgierige *Berkley* gesteht, »es gelle ihm
wirklich in der Seele« – »Thuts das?« fragt ihn *Wild*, der
bisher mit starrem Blick in kraftloser Unthätigkeit, auf
einem Fleck angenagelt schien. – Der Kapitain, der ihn noch
immer für einen Schottländer hält, und nicht wissen kann,
wie viel Antheil er an seiner Erzählung nimmt, fängt wieder an, ihn zu necken; wüthend greift *Wild* zum Degen, der
Kapitain ganz kaltblütig auch; *Berkley* tritt dazwischen,
Karoline fleht einen nach dem andern an, sinkt in *Wilds*
Arme. – Endlich nehmen Sie Abrede, sich Tags darauf Stirn
gegen Stirn zu schießen; und indem kommen Lady *Kathrine*
und *Louise* dem Lord *Berkley*, in der Person des Sir *Wilds*

den Karl *Bushy*, und im Karl *Bushy* den Bräutigam seiner
Tochter vorzustellen. Daß Harry und sein Vater große
Augen machen, ihr Gefühl, ihre Antipathie gerechtfertigt zu
sehen, ist leicht zu begreifen. *Wild*, seiner ihm eigenen Festigkeit gemäß, gesteht es ein, faßt Miß in seine Arme, sie ist
sein! – bittend wendet sie sich an ihren [162] Vater, an ihren
Bruder, wird aber auf Befehl des erstern von ihrer Tante
fortgeführt.

Und nun folgt wieder eine Meisterscene, worinn *Wild* dem
Kapitain sein niederträchtiges, feiges, schwarzes Betragen
– zween abgelebte Greise mitten im Sturm auf die See zu
setzen – in seinem ganzen Umfange vormahlt, die man aber
sehn muß, um sie recht zu fühlen. Der Mohrenjunge schleicht
sich zum *Wild* hin, bringt ihm ein Bild, das der gute Alte,
(so nennt er ihn) sehr lieb hatte; jener erkennt's für das
Bildnis seiner Mutter; hat aber leider keine Liebe mehr, alles
lodert in Rachgierde und Grimm auf. Der gutherzige Junge
möcht ihm gerne noch mehr sagen, darf aber vor seinem
Herrn nicht; bey der Abrede sich morgen zu treffen, bleibts;
und beyde gehen, jeder nach des andern Blut dürstend,
ab. – –

Der Morgen erscheint, und mit ihm gehts in die Bataille.
Wild thut Wunder darinn: sein Erbfeind Kapitain *Boyet*
selbst, muß ihm die Gerechtigkeit widerfahren lassen, und
eingestehn, *Bushy* hätte Teufelsdinge mit seinen Freywilli-
gen gethan, hätte die meiste Ehre von [163] dem Sieg; er
seines Orts wünschte lieber geschlagen zu seyn. – *Karoline*
hat unter Zittern und Zagen den Ausgang der Schlacht ab-
gewartet. Jeder Schuß, den sie höret, traf ihrer Meynung
nach, einen von den drey ihr so nah liegenden, traf sie
selbst. Der Mohr kommt dazu, hat ihr allerhand zu entdecken, wagt's aber nicht, will ihr weinen helfen, *wir
Schwarzen lernen gar zu früh weinen von euch*, sagt er,
aber ihr lacht dazu. Beyde gehn ab; *la Feu* und Lady
Kathrine und hintedrein *Blasius* mit *Louisen*, machen wieder
einen ihrem Karakter angemeßnen episodischen Auftritt.
Jener will ein Schäfer, dieser ein Einsiedler werden; jener
ist ganz Empfindung, dieser ganz abgespannt, beydes taugt

nicht viel. Der alte *Berkley* kommt – über den erfochtnen
Sieg sehr froh – aus der Schlacht zurück, sein Sohn, der
Kapitain mit, hat aber einen Schuß von der Seite in die
Wade bekommen: Die Parthie quarree[14] zieht ab; *Karoline*
kommt, freut sich, sie wieder zu sehn, und erkundigt sich
nach ihrem *Wild*; der Mohr folgt ihr, und muß dem Kapitain die Kugel aus der Wunde zieh'n: *Wild* oder *Bushy* vielmehr, erscheint auch, sein erster Blick fällt auf Miß *Karoline*, sein zweyter fodert Blut von *Harry* [164] für seinen
Vater; sie wollen abgehn, *Jenny* will aber ihren Geliebten
nicht lassen, und begleitet ihn; ihr Vater selbst scheint für
das Leben seines Sohns besorgt zu werden. Er soll sich nicht
schlagen! –

Die Bühne verändert sich und stellt wieder den Garten vor.
Wild und *Karoline* sind noch nicht einig, was die Pflicht in
diesem Augenblick will. Diese erwartet lauter Liebe, Ver-
gebung; jener möchte Rache mit Zärtlichkeit verbinden. Er
kann den *Harry* nicht für ihren Bruder erkennen! Eben wie
der innre Kampf, der Drang am größten ist, kommt der
Mohrenjunge wieder, und erzählt dem jungen Lord *Bushy*,
der *Alte* – der sein Vater seyn soll – wäre nicht umgekom-
men, sie hätten den Kapitain hintergangen, ihn und seinen
Gefährten in einen Winkel versteckt, und er (der Mohr)
hätte ihnen Bisquit und Wasser satt gestohlen. Nun schwindet alle Rache aus der edlen Brust des Jünglings; er ver-
zeiht alles; sein Vater erscheint in Person; er will sich *Berkley* darstellen, und ihn versöhnen. Dieser kommt auch, und
der Kapitain mit; es hält lange, bis es jenem gelingt, diese
zum Stehn zu bringen; [165] dennoch scheint endlich die
Wahrheit die in der Miene und dem Vortrag des alten
Bushy herrscht, seinen Entschuldigungen einiges Gewicht zu
geben, *Berkley* wird nachdenkend, der Kapitain muß erst
einig mit sich selbst werden, und geht zuerst ab. Die Festigkeit des jungen *Bushy* erlaubt dem Vater nicht, seine Tochter
ihm zu entreißen; eine herrliche Scene, die diese dreyfache
Lage vorbereitet, hat der Verfasser recht gut zu benutzen
gewußt, ich muß sie aber übergehn. – *Berkley* invitirt end-

14. Parthie quarree: frz., Lustpartie zweier Pärchen.

lich den alten *Bushy* mit ihm die Allee hinab zu gehn; Er
will versuchen, ob er sich mit ihm vertragen kann. *Karoline*
und *Wild* gehn, in vollem Gefühl der Liebe sich umarmend,
auch ab. – Keins von den vieren drehte sich aber wieder um,
hergebrachter, und ohne Zweifel der Illusion[15] sehr aufhelfen-
der Gewohnheit gemäß, sich zu verbücken, oder zu verneigen:
Ein Umstand der Ursache war, daß die Helfte der Zuschauer
noch erwartungsvoll auf einen neuen Akt wartete. –

Dies mag so hinreichend seyn, Dir einen Begriff von *Sturm*
und *Drang* zu machen. Wenn ich nicht irre, so geht alles
drinn ganz [166] natürlich, aber freylich nicht alltäglich zu;
und dies ist immer ein großer Fehler von einem dramatischen Schriftsteller, der für ein unsichtbares Publikum
arbeitet; ist er aber mit dem Beyfall weniger, an hundert
verschiednen Orten zerstreut lebender feinerer Seelen, zufrieden, will er nur einem unsichtbaren Häuflein gefallen,
dann wird vielleicht das zur Schönheit, was jenen zum Aer-
ger war. –

Noch wenig Worte vom Spiel! Zu *Wilds* Rolle hat Herr
Opitz all' das glühende Jugendfeuer, das sie erfodert, und
spielte von Anfang bis ans Ende herrlich. – Herr *Borchers*
als Lord *Berkley*, war ganz in seinem Fach unnachahmlich!
– Kapitain *Boyet*, (Hr. *Möller*[16]) gefiel einstimmig. – Hr.
Großmann[17] und Hr. *Hellmuth* der ältere[18], jener als *la Feu*,
dieser als *Blasius*, füllten die episodischen Rollen aus. – Lord
Bushy war Hr. *Kirchhöfer*[19], und seine Tochter[20] stellt den
Mohrenjungen mit vieler Wahrheit vor. – Lady *Kathrine*
ist eine Rolle, die sich's für eine Ehre schätzen muß, daß

15. Illusion: berichtigt aus ›Jullusion‹.
16. Heinrich Ferdinand Möller (1745–98), Schauspieler und Dramatiker.
Vgl. *Gallerie . . .*, a. a. O., S. 98 und Register.
17. Gustav Friedrich Wilhelm Großmann (1744–96). Schauspieler und
Dramatiker. Vgl. *Gallerie . . .*, a. a. O., S. 55 und Register.
18. Karl Hellmuth d. Ä. (1740–?). Vgl. *Gallerie . . .*, a. a. O., S. 61 und
Register.
19. Kirchhöfer (Vorname und Lebensdaten unbekannt). Vgl. *Gallerie . . .*,
a. a. O., S. 318.
20. Kirchhöfer (Tochter) (1765–95). Vgl. *Gallerie . . .*, a. a. O., S. 77 und
Register.

Madam *Seyler*[21] sie studieren mag. *Jenny Karoline Berkley* war Madam *Toskani*[22]; sanfte und zärtliche Karaktere gerathen ihr aber nicht [167] so gut, als wilde und koquette; besonders gelang ihr der Monolog vom Fenster herab gar nicht. – Madam *Fiala*[23] als *Louise*, war auch nicht an ihrem rechten Platz. Ich dächte unmaßgeblich, sie tauschten bey Gelegenheit ihre Rollen gegeneinander um. – Jetzt empfehl ich mich. In den ersten drey Monaten erhälst Du keinen so langen Brief wieder, dafür steh ich.

Dein
Y . . k.

N. S.
Den Beschluß machte ein Ballet, das aber – weil Herr *Schulz*[24] unpaß war – nicht so ausgearbeitet seyn konnte, wie die andern; worinn Er selbst erscheint.

> Briefe, die Seylerische Schauspielergesellschaft und Ihre Vorstellungen zu Frankfurt am Mayn betreffend. Frankfurt am Mayn: bei den Eichenbergischen Erben 1777. S. 131–167. [Nach dem Exemplar in der Stadt- und Universitätsbibliothek Frankfurt am Main.]

Die Briefe über die Seylerischen Vorstellungen zu Frankfurt, sind von H. Wagner, und durch die Zergliederungen der aufgeführten Stücke nützlich, worunter wir *Sturm und Drang*, ein neues Schauspiel von Klinge [sic!] anmerken, daß nun auch gedruckt werden wird. Es hat neue und gut-geführte Karaktere.

> [Reichardt?], Kurze Geschichte der dramatischen Dichtkunst vom vorigen Jahr. In: Theater-Kalender, auf das Jahr 1778. Gotha: Carl Wilhelm Ettinger 1778. S. 45. [Nach dem Exemplar im Britischen Museum, London.]

21. Friederike Sophie Seyler (1738–89). Vgl. *ADB* XI, S. 788 f. und *Gallerie* . . ., a. a. O., S. 122 f. und Register.
22. Anna Elisabethe Toskani (Lebensdaten unbekannt). Vgl. *Gallerie* . . ., a. a. O., S. 153 und Register.
23. Fiala (gest. 1822). Vgl. *Gallerie* . . ., a. a. O., S. 48 und Register.
24. Schulz. Unbekannter Ballettmeister.

Johann Caspar Lavater

Poeten werden geboren, nicht gemacht. Geboren – aber doch wie alle andere Menschenkinder, mit *Schmerzen*, und selten ohne *Wehmütter*. – [226] Zum Beschlusse – sey *Klingers*, ob kenntliches, oder unkenntliches Bild? hingesetzt – Daß er poetischer Mann; nicht Weib ist – daß er *Sturm und Drang* dichtet – wer sieht's nicht wenigstens an Stirn und Auge?[25]

> Physiognomische Fragmente zur Beförderung der Menschenkenntniß und Menschenliebe. Dritter Versuch. Leipzig und Winterthur: Bey Weidmanns Erben und Reich, und Heinrich Steiner und Compagnie 1777. S. 225 f. [Nach dem Exemplar im Britischen Museum, London.]

Sammlung neuer Original-Stücke für das deutsche Theater. Berlin und Leipzig bey Decker, 1777. 8.

Diese Sammlung, welche, wie wir aus der Vorrede sehen, fortgesetzt werden soll, enthält folgende vier Stücke:

Sturm und Drang. Ein Schauspiel von Klinger.

Seit *Leßing* Orsina[26] und *Göthe* Werthern schuf, seitdem sind die *wahnwitzigen Damen* [661] und die *überspannten Kerle* so gäng und gebe geworden, daß man aufm Theater

25. Diese Stelle über Klinger findet sich an hervorgehobener Stelle in den *Physiognomischen Fragmenten*, am Schluß des Fragments über die Dichter, im Anschluß an die langen Ausführungen über Goethe. Mit der Bemerkung über Klinger und seinem Porträtstich schließt das Dichterkapitel der *Physiognomischen Fragmente*. – Lavater datierte den Beschluß des 3. Bandes auf den 1. März 1777 (a. a. O. S. 356), die Vorrede auf den 7. Oktober 1777. Der Band erschien wohl vor dem Druck des Klingerschen Stückes; die Bemerkung über Klinger beruht jedenfalls nicht auf einer Kenntnis des Stückes, sondern wohl auf einer brieflichen Mitteilung eines Dritten. – Lavaters Klinger-Urteil, das ja auf der physiognomischen Deutung des in seiner Echtheit zuvor angezweifelten Stiches beruht, war von größter Wirkung für eine weitreichende Propagierung des Dramentitels und bot zugleich in seiner unklaren Logik leichten Anlaß für parodistische oder satirische Verwendung.
26. *Emilia Galotti.*

nichts anders zu sehn bekömmt, als *Weiber* die *rasen*, und
Männer die *schwindeln*. Wer da Lust hat eine Portion Narr-
heiten vom ersten Range sich voragiren zu lassen, der lese
diesen *Sturm und Drang*! Was auch in dem Schreckenstücke
spricht und handelt, scheint dem Tollhause entsprungen zu
seyn – Jung und Alt, Greiß und Jüngling, Mann und Weib –
jedes hat seine Portion Niesenwurz nöthig, um sich zu Verstande zu prußten. Wahrlich uns ist es unbegreiflich, wie
Lavater[27] im dritten Bande seiner physiognomischen Fragmente, wo *Klingers* Profil abgedruckt ist, in diesem Sturm
und Drang den *poetischen Mann* hat erkennen können. Wir
erkennen ihn nicht darin, ob wir gleich weit entfernt sind,
Klingers dramatisches Genie überhaupt zu verkennen. In seinem *leidenden Weibe*, in seinem *Otto* und seinen *Zwillingen*
strahlt immer der Geist von *That* und *Kraft* hervor, immer
der Mann, von dem unser Theater viel zu erwarten hat!
Nur wünschten wir Herrn *Klinger* mehr kühles Blut
– wünschten mehr seinen Verstand über seine Einbildungskraft Meister – denn diese rennt nur gar zu oft mit seinem
Verstande davon. Auf dem Theater wollen wir doch ein-
mahl Menschen sehn, Wesen, wie sie auf unsrer sublunarischen Erde Mode sind. Aber man lese seine *neue Arria*,
seinen *Simsone Grisaldo* und diesen *Sturm und Drang* – sind
das wohl Menschen, die in diesen Dingern auftreten? – Menschen, gebohren unter die Mittagslinie, am [662] Gehirn
und Herzen versengt – können kaum so unsinnig reden und
handeln. Was nützen nun solche Schauspiele? wer kann die
sehen? und wer will die sehen? Wer vermag mit solchen
Menschen zu sympathisiren? Leute, die so viel Sommer im
Kopf haben, daß sie sich des Sonnenmeeres, wie eines küh-
lenden Bades bedienen – solche Leute sind nicht für die
Theater unsrer sublunarischen Erde! Fährt Hr. *Klinger* so
fort in seinen Dramen zu rasen, so ist er mit allen seinen
Dichtertalenten für uns verlohren – und Kunstrichter die in
solchem Unsinn noch Denkmähler seiner Vergötterung finden, und ihn mit Lob und Bewunderung ausposaunen, jemehr er Mensch und Menschennatur untergräbt, die mögen
denn mit ihm eine Reise nach der Sonne antreten. Vielleicht

27. Vgl. S. 98.

– wenn sie bewohnt ist und ein Theater hat – interessiren da
die *Klingerschen* Karrikaturen mehr, denn wir vermögen
nicht mit ihnen zu sympathisiren, und danken den heiligen
neun Musen, daß wirs nicht vermögen, weil uns gesunder
Menschenverstand lieb ist!

Wohl bekomms denen Herren sammt und sonders, die solche
Speisen verdauen können – aber wahrlich – wenn wir
Schriftsteller wären – wir würden die Lust verliehren für
ein Publikum zu schreiben, das *Gutes* und *Schlechtes* gleich
gern genießt! Daß *Klinger* was Gutes kochen könnte, wenn er
seinem Verstande mehr, als seiner Einbildungskraft folgte, das
ist klar! Aber man sollt' es ihm, wenn er dann nun aus den
entgegen gesetzten Gründen schlecht kocht, doch auch empfinden lassen. [663] Wahrlich, das muß ein sehr verdorbner
Magen seyn, der alles schlingt, was ihm vorkömmt, und der
Mann, der das kann, laborirt gewiß am Freßfieber, wofür
Apollo doch jeden Christen in Gnaden bewahren wolle!

*Besser getrennt als ungeliebt! Ein Schauspiel in fünf Auf-
zügen von d'Arien*[28].

Zugegeben, daß *Klingers* dramatscher Genius nicht auf Hrn.
d'Arien ruht; daß er nicht die volle männliche Kraft hat auf
menschliche Seele zu wirken, wie sie *Klinger* hat: so hat doch
Hr. *d'Arien* einen mächtgen Vorsprung vor *Klingern*, wenn
es auf Sprache der Empfindung, auf wahre Sprache der
Natur ankömmt. Auch *Klinger* würde das können, wenn
nicht Affektation und zu erhitzte Einbildungskraft ihn in
die Falle führten.[29]

> Berlinisches Litterarisches Wochenblatt. 2. Band vom
> Jahr 1777. 42. Stück. Berlin den 18. October 1777. Ber-
> lin und Leipzig: bei Friedrich Wilhelm Birnstiel. S. 660
> bis 663. [Nach dem Exemplar der Hessischen Landes-
> und Hochschulbibliothek, Darmstadt.]

28. Bernard Christoph D'Arien (1754–93), Hamburger Dramatiker der Zeit.
29. Die Übereinstimmung in mehreren Einzelheiten macht es wahrscheinlich, daß H. L. Wagner diese Rezension bei seinem Bericht über die
Frankfurter Aufführung (vgl. S. 78 ff.) vor Augen hatte.

Auf 115 S. in 8. ist gedruckt: *Sturm und Drang, ein Schauspiel von Klinger.* Schon der Titel machte uns bange, und gleich der Anfang des Stücks. – Rec. wuste nicht wo er war und was er las, für Geheul des Sturms und Gefühl des Drangs, für Raserei, Tollheit, Haß, Rache, Dummheit und Närrisch seyn, Schwingungen der Liebe, die die Phantasie über die Sonne jagen, und dann noch lederne Zitzen, Flegeleien, Esel und Ochse, Knotenmäßig, Schurke, Hund du toller, und Dianens keusches Nachthemd dazu. – Nein! der müßte des Drangs gewohnt seyn, der das auszustehen vermögend wäre![30]
Greifswald, den 15ten November 1777.

Neueste Critische Nachrichten. Greifswald. Dritter Band. XLVI. Stück. 1777. S. 368. [Nach dem Exemplar in der Archivbibliothek Stralsund.]

Ohne Benennung des Orts.
Sturm und Drang. Ein Schauspiel von Klinger. 8. 1776. 115 Seiten. Lord Berkley mußte nach Amerika flüchten, um den Verfolgungen seiner Feinde zu entgehen, an deren Spitze er den alten Bushy, seinen Busenfreund glaubte. Dies erfüllte ihn mit dem bittersten Haß gegen dieß ganze Geschlecht. Karl Bushy, der Sohn, liebte seine Tochter, Karoline, und suchte sie allenthalben unter dem Namen Wild auf. Ein toller, ungestümmer Jüngling, dem sein innrer Kummer, sein innrer Drang, nur an Wirrwarr und Tumult sich zu laben erlaubt, und den das Ideal seiner Geliebten, das ihm immer vor Augen schwebt, nirgends Ruhe läßt. Er kommt, mit zwey phantastischen Reisegefährten, in Amerika an, lernt den alten Berkley kennen, findet seine Karoline wieder, und einen seiner Todfeinde, einen wilden Seekapitain, ihren Bruder, und Berkleys längst für verlohren bejammerten Sohn. Der Haß der Berkleys gegen die Bushy, zeigt sich in seiner vollen Wuth; der Seekapitän rühmt sich, den alten Bushy ersäuft und seine Familie gerächt zu haben. Wild und er wollen sich Stirn gegen Stirn schießen, gehn aber erst in die Bataille. Doch der alte Bushy ist nicht todt,

30. Die Kritik findet sich a. a. O. unter der Sparte ›Vermischte Nachrichten‹.

ein gutherziger Mohrenjunge hatte ihn gerettet: Er rechtfertigt seine Unschuld. Wild und Karoline werden glücklich,
und die alte Freundschaft der Familien wird wieder erneuert.
Hier ist Wilds Monolog im dritten Aufzuge[31]. »Die Nacht
liegt so kühl, so gut um mich. Die Wolken ziehen so still
dahin! Ach sonst wie das alles trüb und düster war! Wohl
mein Herz! daß du dies schauerhafte wieder einmal rein
fühlen kannst! daß die Nachtlüftchen dich umsäuseln, und
du die Liebe wehen fühlst in der ganzen stillen Natur.
Glänzet nur Sterne! [744] ach, Freunde sind wir wieder
worden! Ihr werdet getragen mit allmächtiger Liebe, wie
mein Herz, und flimmt in reiner Liebe, wie meine Seele. Ihr
wart mir so kalt auf jenen Bergen! und wenn meine Liebe
mit euch sprach, drängten sich volle Thränen hervor, ihr
schwandet aus den nassen Augen, und ich rief: Jenny, mein
Leben! Wo bist du blieben, Licht meiner Augen? So hieng
ich oft an dir, Mond! und dunkel ward's um mich, da ich
nach der reichte, die so fern war. Ach daß alles so zusammen
gewebt, so zusammen gebunden mit Liebe ist. Wohl dir! daß
du wieder das Rauschen der Bäume, das Sprudeln der
Quelle, das Gemurmel des Bachs verstehst! daß alle Sprache
der Natur dir deutlich ist – Nimm mich auf in deine liebliche Kühle, Freund meiner Liebe!«

Gothaische gelehrte Zeitungen auf das Jahr 1777.
Gotha: bey Carl Wilhelm Ettinger o. J. [1777] 90. Stück.
S. 743 f. [Nach dem Exemplar in der Forschungsbiblio-
thek, ehem. Landesbibliothek Gotha.]

*Sturm und Drang. Ein Schauspiel von Klinger. Berlin bey
Decker.*

Von Lavatern im 3ten Theil der physiognomischen Fragmente mit so vielem Spectakel angezeigt, dachten wir, muß
denn doch des Aufhebens werth seyn! Ein Mann der Sturm

31. Das Zitat bildet den Monolog Wilds, der die zentrale Szene III, 7
umfaßt. Der Text weicht außer für die Sinnänderung der Wendung
›Freunde sind wir wieder worden!‹ (vgl. oben 44, 34) nur in Orthogra-
phie und Interpunktion von der Vorlage ab.

und Drang schreiben konnte – ey! – ecce iterum Crispinus! hebt Freund Juvenal eine seiner Satiren[32] an.

Dachten, und kauften, und lasen, und schauten, lasen wieder, und fanden – – überall an dem Schauspiel nichts, wenigstens nichts, welches einen ausserordentlichen Geist verriethe, nichts, welches in so vielen andern Schauspielen nicht bereits schon mit weit mehr Ausdruck dargestellt, zu lesen sey. Wild, La Feu, Blasius u. s. w. sind die spielenden Personen und haben gewiß nomen et omen vereint. Wollen doch ein klein wenig sie selbst sprechen hören. Gleich der Anfang:

Wild. Heida! nun einmal im Tumult und Lerm, daß die Sinnen herumfahren, wie die Dach-Fahnen beim Sturm. Das viele Geräusch hat mir schon so viel Wohlseyn entgegen gebrüllt, daß mir wirklich ein wenig anfängt besser zu werden. So viel hundert Mei[184]len gereiset, um dich in vergessenden Lermen zu bringen – Tolles Herz! du solst mirs danken! Ha! tobe und staune dich denn aus, labe dich im Wirrwarr! Wie ists Euch?

Blasius. Geh zum Teufel! kommt meine Donna nach?

La Feu. Mach dir Illusion Narr! sollt mir nicht fehlen, sie von meinem Nagel in mich zu schlurpfen, wie einen Tropfen Wasser. Es lebe die Illusion, Ey! ey, Zauber meiner Phantasie, wandle in den Rosengärten von Phillis Hand geführt –

Wild. Stärk dich Apoll närrischer Junge!

La Feu. Es soll mir nicht fehlen, das schwarze verrauchte Haus gegen über, mit samt dem alten Thurm, in ein Feenschloß zu verwandeln. Zauber, Zauber Phantasie! – (lauschend) welche lieblich, geistige Symphonien treffen mein Ohr? – – Beim Amor! ich will mich in ein alt Weib verlieben, in einem alten baufälligen Haus wohnen, meinen zarten Leib in stinkenden Mistlöchern baden, blos um meine Phantasie zu scheren. – Ist keine alte Hexe da, mit der ich scharmiren könnte? Ihre Runzeln sollen mir zu Wellenlinien der Schönheit werden; ihre herausstehenden schwarzen Zähne, zu marmornen Säulen an Dianens Tempel; ihre herabhangende lederne Zizzen, Helenens Busen übertreffen. Einen so

32. Juvenal, 4. Satire.

aufzutrocknen, wie mich! – Ha meine phantastische Göttin!
– Wild, ich [185] kann dir sagen, ich habe mich brav gehal-
ten, die Tour her. Hab Dinge gesehen, gefühlt die kein
Mund geschmeckt, keine Nase gerochen, kein Aug' gesehen,
kein Geist erschwungen –
Was sagen die Leser zu solch einer Sprache? Klinger und
Konsorten nennen das Drang des Genies! Daß dich!
          Das sind ja wahre Ungeheuer!!! –
          Und die Scheusälichen sind Euer???

> Buchhändlerzeitung auf das Jahr 1778. Erster Jahrgang,
> XII. Stück, Hamburg, den 19. März 1778. Hamburg:
> in der Heroldschen Buchhandlung. S. 183–185. [Nach
> dem Exemplar in der Hessischen Landes- und Hoch-
> schulbibliothek, Darmstadt.]

(Albrecht Wittenberg)[33]

»Buchhändler-Zeitung auf das Jahr 1778. Erster Jahrgang.
Erstes Quartal. Hamburg, in der Heroldschen Buchhandlung.«

Die Einrichtung ist diese: Zuerst ein kleiner Aufsatz von
dieser oder jener Materie [...]; alsdann eine Beurtheilung
dieses oder jenes Buchs, und endlich kurze Anzeigen von
neu herausgekommenen, oder bald bekannt zu machenden
Büchern, Beförderungen, Todesfälle u. s. w. Die Verfasser
dieser Zeitung thun sehr wohl, daß sie es mit keiner Parthey
halten; daß sie das Lesen der Alten anrathen; daß sie sich
dem einzureissen drohenden barbarischen Geschmacke wider-
setzen; daß sie der faden Empfindsamkeit, oder vielmehr
Empfindeley, den Krieg angekündigt haben. Wenn sie so,
besonders, was die beyden letzten Punkte betrifft, fortfah-
ren; so sollen sie von uns zu Deutschlands Wohlthätern und
Patrioten gerechnet werden. Unsern besten Dank soll der
Recensent der abscheulichen Misgeburt, *Sturm und Drang*,
eines Schauspiels von Klinger, haben. Er ist uns zwar zu-
vorgekommen; aber es thut nichts, er hat einen Geschmacks-

33. Zu A. Wittenberg (1728–1803) vgl. Richard Maria Werner, *Ludwig
Philipp Hahn. Ein Beitrag zur Geschichte der Sturm- und Drangzeit.*
Strassburg: Trübner 1877. S. 125–141 (= Quellen und Forschungen XXII).

verderber, – ein zu gelindes Wort für einen Mann, der ärger ist, als Furius, welcher,

hibernas cana niue conspuit Alpes[34];

gezüchtiget, aber fast zu gelinde gezüchtiget.

> Beytrag zum Reichs-Postreuter. Hamburg, Jahrgang 1778, Stück 26, Donnerstag, 2. April 1778. o. S. [Nach dem Exemplar der Bibliothek der Hansestadt Lübeck.]

Sturm und Drang. Ein Schauspiel von Klinger. 7¹/₄ *Bog. kl.* 8vo.

Werther. Ein bürgerliches Trauerspiel in Prosa und in drei Akten. Frankfurt und Leipzig 1778 10¹/₂ *Bog. kl.* 8vo.

Der Urthelsvertrag. Ein Lustspiel in fünf Aufzügen. Leipzig bei Heinsius. 1777. 11 Bog. kl. 8vo.

[127] *Der Betrug aus Liebe. Eine Operette in drei Aufzügen. Leipzig bei Böhme 1778. 7 Bog. kl.* 8vo.

Die Zigeuner. Ein Lustspiel mit Gesang, in fünf Aufzügen von H Ferd. Möller. Leipzig bei Böhme. 9 Bog. kl. 8vo.[35]

Bei allen Nationen in der Welt ist ein sehr gutes theatralisches Stük etwas sehr seltnes. Daß doch aber bei uns ein mittelmäßiges, ein im Lesen, und vollends in der Vorstellung erträgliches, so gar selten ist! Woran mag das wol liegen? Von den fünfen die wir hier dem Leser ankündigen, gehört kein einziges in diese Klasse.

Das erste zeigt wol einige Spuren von Genie in einzelnen Stellen des Dialogs; aber wie kan ein Stük bei einem solchen Plane erträglich genant werden? Ein Lord Berkeley hat durch einen gewissen Bushy seinen Sohn verlohren. Wo aber, wie, wann und warum? das erfährt kein Mensch. Der Sohn kömt als Schifkapitän wieder, und wird von seinem Vater erkant. Wie er aber gerettet, wie er Schifkapitän geworden ist; wie er nun dahin kömt wo er seinen Vater antrift, ohne zu wissen, daß dieser da sei; das erfährt man wieder nicht. Ein junger Mensch, der sich Wild nent, der aber der Sohn

---

34. Horaz Sat. 2.5.41. – Furius bespuckt die winterlichen Alpen mit eisgrauem Schnee. –

35. Abgedruckt ist aus dieser Sammelbesprechung (S. 126–134) nur der auf Klingers Stük bezogene Teil. Daß der Rezensent *Sturm und Drang* als erstes dieser Stücke behandelt, verweist bereits auf seine Vorzugsstellung; die Kritik der übrigen Stücke ist noch weitaus harscher.

jenes Bushy ist, kömt mit zwenen Freunden (zween wahren
Stoknarren) die sich einbilden, er führt sie nach London, in
Amerika, wo der Schauplaz ist, an: Wie aber und warum er
dahin kömt; wie und wo er vorhero Berkleys Tochter, in die
er und [128] sie in ihn verliebt ist, gesehn hat, und dabei
gar nicht weis daß ihr Vater und sie hier sind; das wird im
ganzen Stücke nicht gesagt. Es wird eine Bataille geliefert;
Lord Berkeley, sein Sohn der Seekapitän, und Wild gehen
hinein, und kommen wieder. Gegen wen aber und von wem,
wo, wie und warum diese Schlacht geliefert wird, davon
bekömt man nichts zu wissen. Unterdessen daß dies Treffen
gehalten wird, gehen Wilds beide Freunde, mit Berkeleys
Schwester und Nichte, die sie an dem Tag allererst haben
kennen lernen, spatzieren, als wenn gar nichts vorgienge.
Endlich findet sichs, daß der alte Bushy, den der Seekapitän
meinte in dem stürmischen Meere auf einem Boote ausge-
sezt, und untergehn gesehn zu haben, gerettet ist. Wann,
wo, warum und auf was Art, er gerade das Schif dieses
Seekapitäns bestiegen hat, der doch sein Feind ist; das hält
der Verf. wieder für unnöthig irgendwo wissen zu lassen.
Dieser gerettete alte Bushy sagt endlich, er sei nicht Schuld
an alle dem, wiederum ganz unbekanten Unheil, das ihm
Berkley vorwirft, und weswegen dieser ihn so entsezlich
hast, sondern ein andrer habe es gethan; wer aber der andre
gewesen, und wie das geschehn ist, und hat geschehn können,
das alles findet der Dichter nicht für gut zu enträzeln. Freilich der Leser, der an dem ganzen Stücke nicht viel Antheil
nimt, wird sich das wohl gefallen lassen; wie sich aber der
beleidigte und so gewaltig hassende Berkley mit einer solchen beweislosen Behauptung abspeisen läst, das können wir
nicht einsehn. Hieraus ersieht man, wie der Plan bearbeitet
ist. Es war einmal ein Lord Berkley königlicher Stathalter
in Virginien[36]. Ob der [129] ähnliche Begebenheiten gehabt
hat, können wir nicht finden; unsre Geschichte der Kolonie
sagt nichts davon. Gesezt aber, es stünde in irgend einem
Buche, das von Virginien handelt, so kan man doch nicht

36. Eine abwegige Vermutung; der Name ist einem Shakespeare-Drama
willkürlich entlehnt. – Zu dem Berkeley, der im 17. Jahrhundert Gou-
verneur von Virginia war, vgl. Allen Johnson [Hrsg.], *Dictionary of
American Biography.* Bd. II. London 1929. S. 217 f.

die Kentnisse davon bei allen Lesern voraus setzen. Aga-
memnons, Achils, der Pelopiden Geschichten sind ganz anders bekant als diese, wenn aber ein Dichter von ihnen ein
Schauspiel macht, so mus er doch dem Zuschauer den Zu-
sammenhang desselben vorlegen. Freilich so zu arbeiten, wie
hier Hr. Klinger thut, das ist bequem; man bringt was man
für Situationen wil hervor, und braucht nicht über die Ver-
kettung der Begebenheiten nachzudenken. Diese Bequem-
lichkeit aber, ein Charakter der meisten die sich unter uns
auf Dichtkunst legen, macht gemeiniglich, daß sie so mittel-
mäßige Sachen gebähren. Die unsinnigen Freunde Wilds, die
hier so wenig zu thun haben, als Lady Kathrine und Louise,
sind unter aller Kritik. Die unschiklichen platten oft ekel-
haften Ausdrücke als S. 4 die Stelle von *stinkenden Mistlacken*; u. s. w. S. 75 *gieb mir eine Patsche*; S. 21 *ich bohrte
ihm Esel* u. a. dergl. sind so abgeschmakt an sich, als unan-
ständig gegen das Publikum, für welches man schreibt. Lez-
tern Ausdruk verstehn wir nicht einmal.

Auserlesene Bibliothek der neuesten deutschen Litteratur. 14. Band. Lemgo: Meyersche Buchhandlung 1778.
S. 126–129. [= No. XXIII.] [Nach dem Exemplar der
Hessischen Landes- und Hochschulbibliothek, Darmstadt.]

Sturm und Drang, ein Schauspiel von Klinger, 1776. 7¹⁄₂
Bog. in 8. 5 gr.

Der Verfasser dieses Schauspiels ist bereits als Theaterdichter, und aus mehrern Stücken hinlänglich bekannt. Auch das
gegenwärtige hat seine guten Scenen, ob wir gleich im Ganzen genommen nicht vollkommen damit zufrieden sind.
Denen aber, die sich in dem Gefühl der Liebe groß dünken,
wird es desto mehr behagen.

Allgemeines Verzeichniß neuer Bücher mit kurzen Anmerkungen. Nebst einem gelehrten Anzeiger. Auf das
Jahr 1778. Dritter Jahrgang V. Stück. May. Leipzig:
bey Siegfried Lebrecht Crusius 1778. S. 373 [No.] 706.
[Nach dem Exemplar des Britischen Museums, London.]

Christoph Martin Wieland

Indessen war doch die Tragödie das eigentliche Fach des
Hyperbolus. Er hatte deren hundert und zwanzig (vermuthlich auch groß und klein in einander gerechnet) verfertiget;
ein Umstand, der ihm bey einem Volke, das in allen Dingen
nur auf Anzahl und körperlichen [48] Umfang sah, allein
schon einen außerordentlichen Vorzug geben mußte; denn
von allen seinen Nebenbulern hatte es keiner auch nur auf
das Drittel dieser Zahl bringen können. Ungeachtet ihn die
Abderiten, wegen des Bombasts seiner Schreibart, ihren
Aeschylus zu nennen pflegten, so wußte er sich selbst doch
nicht wenig mit seiner Originalität. Man weise mir, sprach
er, einen Charakter, einen Gedanken, ein Sentiment, einen
Ausdruck, in allen meinen Werken, den ich aus einem andern
genommen hätte! – oder aus der Natur, sezte Demokritus
hinzu – »O! (rief Hyperbolus) was das betrifft, das kan ich
ihnen zugeben, ohne daß ich viel dabey verliehre. Natur!
Natur![37] die gemeine Natur – und die meynen sie doch – gehört in die Komödie, ins Possenspiel, in die Thlapsödie[38],
wenn sie wollen: Aber die Tragödie[39] muß über die Natur
gehen oder ich gäbe nicht eine hohle Nuß darum.« Von den
seinigen galt dies im vollesten Maas. So wie seine Personen
hatte nie kein Mensch ausgesehen, nie kein Mensch gefühlt,
gedacht, gesprochen noch gehandelt. Aber eben das wollten
die Abderiten – und daher kam es auch, daß sie unter allen
auswärtigen Dichtern am wenigsten aus dem Sophokles
machten. »Wenn ich aufrichtig sagen soll wie ich denke«,
sagte einst Hyperbolus in einer vornehmen Gesellschaft wo

37. In der Buchausgabe ist hier anschließend eingeschoben: »Die Herren
klappern immer mit ihrer Natur und wissen am Ende nicht, was sie
wollen.«
38. »[. . .] als ein junger Dichter, Namens Thlaps, auf den Einfall kam,
Stücke aufs Theater zu bringen, die weder Komödie noch Tragödie noch
Posse, sondern eine Art von lebendigen Abderitischen Familiengemählden
wären; wo weder Helden noch Narren, sondern gute ehrliche hausge-
backne Abderiten auftreten ihren täglichen Stadt- Markt- Haus- und
Familien-Geschäften nachgehen und vor einem löblichen Spectatorio gerade so handeln und sprechen sollten, als ob sie auf der Bühne zu Hause
und sonst keine Leute in der Welt wären als sie.« a. a. O., S. 52.
39. verbessert aus ›Tragöde‹.

über diese Materie auf gut Abderitisch raisonnirt wurde – »ich habe nie begreiffen können was an dem Oedipus oder an der Elektra des Sophokles, insonder[49]heit was an seinem Philoktet außerordentliches seyn soll? Für einen Nachfolger eines so erhabnen Dichters wie Aeschylus fällt er wahrlich gewaltig! Nun ja, attische Urbanität, die streit' ich ihm nicht ab! Urbanität so viel Sie wollen! Aber der Feuerstrom, die wetterleuchtenden Gedanken, die Donnerschläge, der hinreissende Wirbelwind – kurz, die Riesenstärke, der Adlersflug, der Löwengrimm, der Sturm und Drang, der den wahren tragischen Dichter macht, wo ist der?« – Das nenn' ich wie ein Meister von der Sache sprechen, sagte einer von der Gesellschaft – O über solche Dinge verlassen sie sich auf das Urtheil des Hyperbolus (rief ein andrer) wenn Er das nicht verstehen sollte! – Er hat 120 Tragödien gemacht, flüsterte eine Abderitin einem Fremden ins Ohr; 's ist der erste Theaterdichter von Abdera!

Die Abderiten. 16. In: Der Teutsche Merkur. Juli 1778. S. 47–49. [Die Buchausgabe, erstmals 1781 erschienen, enthält den Abschnitt in Buch III, Kapitel 3 und weist einen leicht veränderten Wortlaut auf; vgl. Anm. 37. – Nach dem Exemplar der Beit Library, Cambridge.]

(Christian Heinrich Schmid)

Sturm und Drang von Klinger, Berlin, bey Decker, 1777. 8.

Wen der Titel noch nicht erschreckt hat, dem wird bald so viel wildes Geräusch, um mich mit einer Person dieses Stücks auszudrücken, entgegengebrüllt, daß die Sinnen herumfahren, wie Dachfahnen beym Sturm, und daß er, wenn er wieder zu sich selbst kömmt, bedauert, daß die Geniefunken nur sprühen, und nicht in eine helle Flamme aufschlagen[40].

Almanach der deutschen Musen auf das Jahr 1779. Leipzig: in der Weygandschen Buchhandlung. S. 83. [Nach dem Exemplar der National- und Universitätsbibliothek, Straßburg.]

40. Die Formulierung greift Wilds Worte zu Beginn des Dramas (I, 1) auf.

(Johann Joachim Eschenburg)

Sturm und Drang. Ein Schauspiel von Klinger. 1776. 8.

Das beste Schauspiel von diesem Verfasser; und da es sein neuestes ist, so steht zu hoffen, daß sich seine zu wilde, überspannte Phantasie, noch etwas mehr abkühlen, und sich zu gemäßigtern Scenen, zum menschlichern Ton des Inhalts und Dialogs herabstimmen werde. Dieß wird die Wirkung seiner Schauspiele, und ihre Fähigkeit zur Vorstellung unstreitig befördern; denn eine zu weit getriebene, zu sehr auflodernde Hitze der Einbildungskraft ist der wahren dramatischen Kunst eben so sehr im Wege, als Frost und Dürftigkeit der Ausarbeitung es nur immer seyn können. Freylich fehlt es auch diesem Schauspiele nicht an wilden Auswüchsen; wir rechnen vornehmlich dahin die episodischen Scenen und Charaktere des *La Feu*, und *Blasius*: besonders war der erstere in einem Stücke, das schon ohnehin so viel leidenschaftlichen *Sturm und Drang* hatte, entbehrlich. Aber die meisten Scenen, Charaktere, und Reden der Hauptpersonen sind besser, als man sonst an diesem Verf. gewohnt ist; vornehmlich die Scenen der Erkennung und des Kampfes zwischen Pflicht und Neigung. In diesen sind die Situationen meistentheils glücklich angelegt, und auf eine geschickte[41] Art benutzt und gut ausgeführt. Die künftigen Schauspiele dieses Verf. werden unstreitig immer vollkommner werden, je weniger er sich darin erlauben wird, über die Gränzen der Wahrheit und Natur hinauszugehen.

Anhang zu dem fünf und zwanzigsten bis sechs und dreyßigsten Bande der allgemeinen deutschen Bibliothek. Zweyte Abtheilung. o. O. u. J. [Berlin u. Stettin: Friedrich Nicolai 1780] S. 760. [Nach dem Exemplar der Universitätsbibliothek, Cambridge.]

(J. Chr. Fr. Schulz)

Einer unsrer Kraftmänner, die die Natur darstellen wie sie ist; keine Regeln kennen, als die eine unbändige Phantasie ihnen eingibt; Leute in aller Welt Augen aufs grausamste morden, kastriren, Nasen und Ohren abschneiden lassen; von A*** lekken und Kindermachen laut sprechen; züchti-

41. in der Vorlage ›geschichte‹.

gen, ehrsamen Frauen und Mädchen im Antlitz Scenen der Nothzucht u. s. w. aufstellen – alles pure klare Natur! Das mußte Beyfall finden, mußte gerühmt und beklatscht werden! Aber Dank unserm guten Genius, daß es ein Ende hat. Die Herren sammt ihren Geniestreichen und ungeheuren riesenhaften Sprüngen und Würfen sind beynahe vergessen. – – Als *Berlichingen* und *Werther* u. s. w. noch neu waren, nahm jeder junge Mensch, der Geniedrang fühlte oder vielmehr zu fühlen glaubte, sich vor Andern was heraus, sezte den Hut auf ein Ohr, zog den Rock aus, schmis alle die ihm zu nahe kamen mit Koth, gesellte sich zu den Gassenlümmeln, schupte jeden der ihm nicht auswich, machte krumme Sprünge und rief Eines Rufens: »Seht Leute das kann ich! Wers nicht nachmacht oder sich drüber mokirt ist ein Heuochse!« Schade wars da um manchen guten Kopf, daß er seine Gaben nicht besser anwandte! Klingern kann man guten ofnen Kopf, blühende Phantasie, Sprachgewalt und Kenntniß des menschlichen Herzens nicht absprechen, hätt' er alles nur besser bezähmt, mehr auf einen gewissen Punct gelenkt, sich nicht so viel drauf eingebildet; so hätt' er in seinem Fach was rechtes leisten können, aber das leidige Geniefieber, es ist schlimmer als das dreitägige! Wenns einen ergriff, so bekam er Hitze und Frost und dann gab's: *Ottos, leidende Weiber, Sturm und Drang* und Gott weiß was all noch mehr. Wir wünschen Klingern recht baldige gänzliche Genesung, seine *Brüder*[42], sein *Derwisch* zeigen solchen Grad von convulsivischer Ekstase schon nicht mehr als die oben genannten. Als er den *Otto* und *das leidende Weib* schrieb, war er noch Student in Gießen. Im lezten Feldzug war er in kaiserlichen Diensten, als der sobald sein Ende erreichte, ging er nach Basel, wo er *Orpheus*, eine tragikomische Geschichte, *Prinz Formosos Fiedelbogen* und *Plimplamplasko* schrieb. Das Lezte zeigt, daß er sich bekehrt hat. Jezt ist er Lieutenant bey der russischen Marine.

Klinger. Erschienen in dem Almanach der Belletristen für das Jahr 1782. Ülietea bey Peter Jobst Edlen von Omai [d. i.: Berlin bei Himburg]. – Zitiert nach Max Rieger, *Klinger in der Reife.* Darmstadt: Arnold Bergsträsser 1896. S. 175 f.

42. Klingers Schauspiel *Die Zwillinge.*

Friedrich Maximilian Klinger

Was sich in dieser Sammlung befindet, erkenn' ich an. Aus Ursachen finden auch hier einige Stücke Platz, welchen ihnen gewisse Regeln und meine gegenwärtige Denkungsart mit Recht versagen möchten. Was aber dabey zu erinnern ist, will ich an Ort und Stelle selbst thun. Freylich sind es individuelle Gemählde einer jugendlichen Phantasie, eines nach Thätigkeit und Bestimmung strebenden Geistes, die in das Reich der Träume gehören, mit dem sie so nah verwandt zu seyn scheinen. Wer aber gar kein Licht in diesen Explosionen des jugendlichen Geists und Unmuths sieht, ist [A 2ᵛ] nie in dem Fall gewesen, etwas davon in sich selbst zu fühlen. Ich kann heute so gut darüber lachen, als einer; aber so viel ist wahr, daß jeder junger Mann die Welt, mehr oder weniger, als Dichter und Träumer ansieht. Man sieht alles höher, edler, vollkommner; freylich verwirrter, wilder und übertriebener. Die Welt und ihre Bewohner kleiden sich in die Farbe unsrer Phantasie und guten Glaubens, und eben darum ist dies der glücklichste Zeitpunct unsers Lebens, nach welchem wir zu Zeiten, bey aller sauer erworbenen Klugheit, mit Verlangen zurückblicken. Vielleicht wäre diese poetische Existenz die glücklichste auf Erden, wenn sie dauern könnte. Besser ist's, man kocht dies alles im Stillen aus; denn all diese Träu[A 3]mereyen sind Contrebande in der Gesellschaft, wie ihre Urheber selbst.

Erfahrung, Uebung, Umgang, Kampf und Anstoßen, heilen uns von diesen überspannten Idealen und Gesinnungen, wovon wir in der würklichen Welt so wenig wahrnehmen, und führen uns auf den Punct, wo wir im bürgerlichen Leben stehen sollen*. Eben diese lehren den Dichter und Künstler, daß Einfachheit, Ordnung und Wahrheit, die Zauberruthen seyen, womit man das [A 3ᵛ] Herz der Menschen schlagen

---

* In so fern nemlich, daß wir sie nicht mehr um uns herum suchen, noch fordern; denn zu ihrem eignen Besten giebts so glücklich organisirte Geister, die trotz aller Erfahrung eine gewisse idealische Erhebung, wenn sie sich so nennen läßt, beybehalten, die ihre Besitzer durchs Leben durch gegen den Druck des Schicksals stählt, und sie in Umständen über das gewöhnliche erhebt. Dies ist freylich eine Art von Poesie, die weder Aristoteles noch Batteux definirt haben. [Anmerkung Klingers.]

müsse, wenn es eintönen soll. Man kann dies glauben, ohne dahin gelangt zu seyn.

Möchte man indessen nicht sagen, daß der Dichter sehr oft den Maasstab zu sich selbst, in manchen von ihm aufgestellten Charakteren giebt; und je weniger dieser zu merken, je wahrer und allgemeiner sey die Welt, die er anschaulich macht. Doch wer den Geist nicht in sich fühlt, der die Römer zu Thaten führte, die wir nur bewundern können, wird uns, wie Korneille, wohlgesezte Reden nach den römischen Schriftstellern vordeclamiren; aber uns nie den Mann in seinem Fleisch und Bein, Nerven und Geist vorzaubern, wie Shakspear in seinem Koriolan, Brutus und Kassius thut.

[A 4] Die Klagen sind unendlich, die man über die wilden Producte führt, die zu Zeiten in der deutschen Welt, und besonders fürs Theater erscheinen. Ich weiß nicht, in wie weit es bey diesen Herrn charakteristisch ist, wie wahr und tief es ihnen liegt, und darauf käme es doch bey der Beurtheilung hauptsächlich an. So viel ist indessen gewiß, daß wir Deutsche durch diese Verzerrung gehen müssen, bis wir sagen mögen, so und nicht anders behagts dem deutschen Sinn. Nichts reift ohne Gährung. Gewiß sind die kalten, beschränkten Regeln des französischen Theaters mit seiner Declamation, dem thätigern, rauhern und stärkern Geist der Deutschen nicht genug; aber eben so gewiß ist er nicht muthwillig, launig [A 4ᵛ] und besonder genug, um's allgemein mit dem englischen Humor und seinen Sprüngen zu halten. Also wäre das wilde Thun bisher doch nichts anders, als eine Form zu suchen, die uns behage! Machten wir eine Nation aus, so hätten wir dieselbe gewiß vorgefunden, denn es läßt sich wol mit Gewißheit sagen, daß in diesem Fall, die Wissenschaften bey uns, mit unsern Nachbarn gleich fort gegangen wären. Warum soll unser Theater auf französische Form gemodelt seyn, da wir Deutsche sind, und der Galanteriekram, wovon Racinens Helden strotzen, unserm Character so fremde ist? Warum auch englische, da wir so fern von der sprudelnden Laune dieser Insulaner sind? Ein Charakter voll Gradheit, Bie[A 5]derkeit, Muth, Beharrlichkeit, Starrsinn, greift ins Herz des deutschen Volks, da es nicht weiß, wohin es die galanten Griechen und Römer der Franzosen, und die übertriebenen Carricaturen des

neuern englischen Theaters setzen soll. Genug, die einfachste
Form ist gewiß die beste; aber mich deucht, der Deutsche
mögte mehr Leben, Handlung und That sehen, als schallende Declamation hören. Ein solches Stück ist nun freylich
schwerer zu schreiben, als zehen wilde Phantasien, wo der
unerfahrne Autor alles aus sich selbst nimmt, und dies ver-
mehrt ihre Menge. Mir war es wenigstens bequemer, den
phantastischen Grisaldo zu dramatisiren, als das Schicksal
Konradins.
[A 5ᵛ] Doch ich will mit dem allen weiter nichts sagen, als
daß ich diese Sammlung selbst veranstaltet habe; denn mir
ists bey allen Schreibereyen um nichts anders zu thun, als in
einer vorgestellten Welt zu leben, wenn ich's nicht thätig in
der würklichen kann, und meine Bestimmung ließ mir bisher
viele Stunden übrig, die ich froh war so wegträumen zu
können. St. Petersburg im Jan. 1785.

K.

in R. K. K. D

> F. M. Klinger's Theater. Riga: Johann Friedrich Hart-
> knoch 1786–87. Bd. I (1786). Vorrede, Blatt A 2 bis
> A 5ᵛ. [Nach dem Exemplar im Britischen Museum,
> London.]

F. M. Klinger's Theater, Erster Theil. Riga, bey Hartknoch,
1786. 350 Seiten, 8ᵛᵒ.
– – Zweyter Theil, ebend. 372 S. 8ᵛᵒ.

Sehr rühmlich für den Verfasser, und überaus lehrreich für
angehende Dichter sind die Geständnisse, welche er in der
Vorrede in Ansehung seiner ältern, ehedem einzeln von uns
beurtheilten Stücke[43] ablegt. Er erklärt sie für individuelle
Gemälde einer jugendlichen Phantasie, eines nach Thätigkeit
und Bestimmung strebenden Geistes, die in das Reich der
Träume gehören, mit dem sie so nahe verwandt zu seyn
scheinen. Er sieht jetzt ein, daß man doch besser thue, dies

43. Durch die Hinweise auf die früheren Einzelbesprechungen scheint
Eschenburg auch der Verfasser dieser Anzeige zu sein. Vgl. seine Rezen-
sion der Erstausgabe von *Sturm und Drang* S. 110. – Unter derselben
Sigle ›Bk.‹ erschien die Anzeige des dritten und vierten Teils der Aus-
gabe von Klingers *Theater* in der *Allgemeinen deutschen Bibliothek*,
Anhang zum 53. bis 86. Band, Theil 5 (1791). S. 2524 f.

alles im Stillen auszukochen, und daß alle diese Träumereien
Kontrebande in der Gesellschaft, wie ihre Urheber selbst
sind. »Erfahrung, führt er fort, Uebung, Umgang, Kampf
und Anstoßen, heilen uns von diesen überspannten Idealen
und Gesinnungen, wovon wir in der wirklichen Welt so
wenig wahrnehmen, und führen uns auf einen Punkt, wo
wir im bürgerlichen Leben stehen sollen. Eben diese lehren
den Dichter, daß Einfachheit, Ordnung und Wahrheit die
Zauberruthen seyn, womit man an das Herz der Menschen
schlagen müsse, wenn es eintönen soll.« – Indeß meynt der
Verf. doch, daß die auf der deutschen Bühne in neuern Zeiten entstandenen wilden Produkte, unter denen seine ehemalige Stücke mit die ersten waren, zu den nothwendigen
Uebeln gehören. Wir Deutschen, meynt er, müssen erst durch
diese Verzerrung gehen, bis wir sagen mögen: so und nicht
anders behagts dem Deutschen Sinn. Das wilde Thun bisher
scheint ihm nichts anders zu seyn, als eine Form zu suchen,
die uns behage; und die darum nicht gleich vorgefunden
sey, weil wir keine Nation ausmachen. Die einfachste Form
sey gewiß die beste; aber ihm dünkt, der Deutsche möchte
gern mehr Leben, Handlung und That sehen, als schallende
Deklamation hören. Und ein solches Stück ist nun allerdings
schwerer zu schreiben, als zehn wilde Phantasien, wo der
unerfahrne Autor alles aus sich selbst nimmt. – Uebrigens
enthält jeder dieser beyden Theile drey Stücke: [...] [148]
Im zweyten Theile steht: [...] 3. *Sturm und Drang*, ein
Schauspiel in fünf Aufzügen, noch aus eben der jüngern
Epoche des V. und gleichfalls schon ehedem gedruckt und
von uns angezeigt.

Bk.

Allgemeine deutsche Bibliothek. Band 74, Erste Hälfte.
Berlin und Stettin: verlegts Friedrich Nicolai 1787.
S. 147 f. [Nach dem Exemplar der Universitätsbiblio-
thek, Cambridge.]

(Huber)

St. Petersburg, b. Tornow u. Comp. u. Leipzig in Comm. b.
Jacobäer: *F. M. Klingers neues Theater. Erster Theil:* Aristodymos. Roderico. Fragment. 276 S. *Zweyter Theil:* Damocles – Die zwo Freundinnen. 286 S. 1790. 8.

[331] Der Vf. dieser Schauspiele hat schon in verschiedenen Epoken unserer Literatur einen beträchtlichen Platz behauptet; und wenn ihm die Kritik auch manche Jugendsünden vorzuwerfen hat, so musste doch jedes unverwöhnte Gefühl selbst in seinen frühesten und tadelhaftesten Werken, ein nicht erkünsteltes Feuer, eine seltne Gabe der Empfindung, und eine selbst in ihren Verirrungen schätzbare Kraft des Gedankens und des Ausdrucks jederzeit anerkennen. Die vor uns liegenden dramatischen Gedichte fodern uns daher auf, nicht allein ihren Werth als für sich bestehende Kunstwerke zu bestimmen, sondern zugleich die Fortschritte und den ganzen Gang des Dichters, bis zu der Erzeugung dieser reifen Früchte seines Genies zu verfolgen: um so mehr, da er jetzt vollkommen auf der Stufe zu stehen scheint, auf welcher aus dem Talent *mehr wohl schwerlich wird, als schon ist, und eher noch was weniger.* Seit seiner ersten Erscheinung als dramatischer Dichter, hat er zwischen sehr verschiedenen Manieren geschwankt; aber sey es Mangel an der Cultur des Geistes, die unter Mustern und Vorbildern wählt und aussucht, und selbst in der Nachahmung, durch ein reines geübtes Gefühl, das die feine Schönheitslinie nicht verfehlt, die eigenen Schöpfungen einer unerzogenen Phantasie weit hinter sich zurücklässt, oder sey es Mangel an der inneren Ruhe, an einer gewissen Impossibilität, die ächten Kunstwerke das Siegel der Vollendung und der Ewigkeit aufdrückt: keine von den Formen, die er wählte, blieb innerhalb jener unabänderlichen Gesetze der Kunst, die der Künstler in der Natur erkennt. *Otto* und *das leidende Weib,* die bey dem wenigsten Gehalt die meiste Rohheit und muthwillige Nachahmung übelgefasster und unwürdiger Muster hatten, sind von ihm selbst in der neuen Auflage seiner ältern Stücke verworfen worden. Eine höher gespannte und freyere Phantasie brachte *die neue Arria, Simsone Grisaldo, Sturm und Drang, Stilpo und seine Kinder,* u. s. w. hervor, die bey so vielen einzelnen Zügen der köstlichsten, wahrsten Empfindung, und der lebhaftesten Auffassung des Grossen und Starken, das Herz des Lesers kalt lassen, wie ein Fiebertraum; die Erhitzung des Kopfs tödtet, so zu sagen, in diesen Werken die Wärme des Gefühls. In den *Zwillingen* band er sich mehr an die theatralische Form;

aber Einheit und Gehalt des Gedankens in den Charakteren und der Situation reicht allein noch nicht zu, einem dramatischen Kunstwerk Wirkung und Eindruck zu verschaffen; weise Oekonomie und Rücksicht auf die Gradationen, welche die Seele fodert, um sich dem aufgestellten, in successiven Theilen bestehenden Gemälde hinzugeben, fehlten in den *Zwillingen*, und es ist nicht abzusehen, warum der mit dem bleichen *Grimaldi* zusammengestellte *Guelfo* den Brudermord nicht eben so gut im ersten Act vollbringt, als in den vierten. In einem andern Fache, als dem dramatischen, unterwirft sich der *Orpheus* dieses Dichters einer bestimmten Kritik weniger, als seine dramatischen Gedichte, weil in jenem Fache die Gesetze der Wirkung willkührlicher sind. *Elfriede, Medea,* und der *Günstling,* näherten sich zuerst der Manier, in welcher die gegenwärtigen [332] Stücke geschrieben sind, und deren Wesen wir hier vorzüglich zu beleuchten haben. Eine gewisse Resignation, die aus dem eignen Bewusstseyn des Dichters, die nie wiederkehrende Blütezeit seines Genies in Unnatur verprasst zu haben, entspringen mag, scheint ihn zu Erwählung dieser neuen Manier bestimmt, und den Entschluß in ihm hervorgebracht zu haben, mit seinem kälteren Alter besser hauszuhalten.

Allgemeine Literatur-Zeitung vom Jahre 1791. Numero 42. Mittwochs, den 9. Februar 1791. Jena u. Leipzig 1791. Bd. I Sp. 330–336. [Nach dem Exemplar im Britischen Museum, London.]

Johann Joachim Eschenburg

Friedrich Maximilian Klinger, geb. zu Frankfurt am Main, 1753, ehedem Theaterdichter der Seylerischen Gesellschaft, und seit 1780 Offizier in kaiserl. russischen Diensten zu Petersburg, machte sich zuerst vor beinahe zwanzig Jahren, durch verschiedene Schauspiele bekannt, die ziemlich wild, regellos und eccentrisch waren, aber stellenweise viel Originalkraft verriethen. Allmählich aber lenkte er in die Bahn der Natur und des bessern Geschmacks zurück, und erklärte jene Versuche nun selbst für unvollkommene Gemählde und idealische Träume einer jugendlichen Phantasie. Erfahrung, Uebung, Umgang, Kampf und Anstoßen – sagt er [364]

selbst – heilen uns von diesen überspannten Idealen und
von Gesinnungen, wovon wir in der wirklichen Welt so
wenig wahrnehmen, und führen uns auf den Punkt, wo wir
im bürgerlichen Leben stehen sollen. Eben diese, setzt er
hinzu, lehren den Dichter, daß Einfachheit, Ordnung und
Wahrheit die Zauberruthen sind, womit man an das Herz
der Menschen schlagen muß, wenn es ertönen soll. Sein aus
vier Bänden bestehendes *Theater* enthält folgende Lust-
spiele: *Die falschen Spieler – der Schwur – der Derwisch*.
Und in den zwei bisherigen Theilen seines Neuen Theaters:
Die zwei Freundinnen.[44]

> Beispielsammlung zur Theorie und Literatur der schönen
> Wissenschaften. Siebenter Band. Dramatische Dichtungs-
> arten. Berlin und Stettin: bei Friedrich Nicolai 1793.
> S. 363 f. (= Deutsche Lustspieldichter. XI.) [Nach dem
> Exemplar im Britischen Museum, London.]

Friedrich Maximilian Klinger

Da es manchem unangenehm seyn kann, die Jugend-Stücke
des Verfassers, mit seinen reifern kaufen zu müssen, so ent-
schloß man sich, folgende neun Stücke besonders abdrucken
zu lassen. Nur ein [IV] einziges der frühern befindet sich
in dieser Sammlung: *Die Zwillinge*, doch völlig umgearbei-
tet. Wer sich die Mühe geben will, diese Ausgabe mit den
Vorigen zu vergleichen, wird merkliche Zusätze und Veränderungen in den meisten finden; Sprach-Nachläßigkeiten
hat man überall zu verbessern gesucht.
Gerne würde der Verfasser, über alle seine dramatische Be-
mühungen, etwas gesagt haben; vielleicht selbst zum Nutzen
der Kunst und der Menschenkenntniß; aber er fühlt, daß
sich niemand mehr der Gefahr, mißverstanden zu werden,
aussetzt, als [V] der Schriftsteller, der von seinen Werken,
folglich von sich spricht. [...] [VI] Kommen [VII] diese
Stücke zur Nachwelt, so wird man ihnen ohne Partheylich-

---

44. Klingers Kritik an Eschenburg bezog sich später darauf, daß seine
Werke nur an dieser Stelle der *Beispielsammlung* genannt werden und in
dem Abschnitt der deutschen Trauerspieldichter nicht einmal sein Name
erwähnt wird.

keit ihren Platz anweisen. Hier ist eine chronologische Liste der Schauspiele des Verfassers, die überflüßig wäre, wenn er nicht bemerkt hätte, daß man ihm einige fremde zugeschrieben. Die mit einem Sterne bezeichneten befinden sich in dieser Sammlung. 1) *Die Zwillinge*, 1774. 2) *Die neue Arria*, 75. 3) *Simsone Grisaldo*, 75. 4) *Sturm und Drang*, 75[45]. 5) *Stilpo*, 77. 6) *Der Derwisch*, 79. 7) *Die falschen Spieler*, 80. 8) *Elfriede*, 82. 9) *Der Schwur*, 83. 10) *Konradin*, 84. 11) *Der Günstling*, 85. 12) *Medea in Korinth*, 86. zusammen in 4 Bänden, Riga. 13) *Aristodymos*, 1786. [VIII] 14) *Rodenko*, 86. 15) *Damocles*. 16) *Die zwo Freundinnen*, 88. 17) *Medea auf dem Kaukasos*, 90. in zwey Bänden, Leipzig. 18) *Oriantes*, 89. Leipzig. 19) *Prinz Seidenwurm*, 78. Basel.
Alle hier befindliche Stücke, (*Konradin* ausgenommen) haben wesentliche Veränderungen erhalten.

> Auswahl aus Friedrich Maximilian Klingers dramatischen Werken[46]. Erster [+ Zweiter] Theil. Leipzig: bey Friedrich Gotthold Jacobäer 1794. Bd. I. S. III–VIII.
> [Nach dem Exemplar im Britischen Museum, London.]

Auswahl aus Friedrich Maximilian Klingers dramatischen Werken. Erster Theil. Leipzig, bey Jacobäer. 1794. 452 Seiten. *Zweyter Theil.* 356 Seit. 8. 2 Rth. 8 gl.

Aus neunzehn Stücken, von denen manche nur einzeln gedruckt, mehrere bereits in etlichen veranstalteten Sammlungen vereinigt waren, hat Hr. Klinger neun ausgehoben, und selbige, theils von neuem überarbeitet, theils in Absicht auf Sprache und Ausdruck verbessert, und dem Publikum in dieser veränderten Gestalt nochmals zu übergeben für werth geachtet. Wir wollen zuerst die Stücke nennen, welche die Freunde seiner Muse in beyden Bänden finden. Im ersten stehen die Zwillinge, die falschen Spieler, Elfride, Konra-

---

45. Klingers Titelliste enthält mehrere fehlerhafte Angaben zu der jeweiligen Entstehungszeit, so auch für *Sturm und Drang*. Es ist unbekannt, ob diese Abweichungen von Klinger absichtlich eingefügt wurden oder sich durch Druckfehler eingeschlichen haben.

46. Nach einer Angabe auf S. IX der Vorrede entstand diese Auswahl von neun Stücken vor 1792 und befand sich zwei Jahre in den Händen des Verlegers.

din[47] (das einzige ungeänderte) und der Günstling; im zweyten Medea in Korinth, Medea auf dem Kaukasus, Aristodynos und Damokles. Die Stücke des Vf. sind sämmtlich von andern Recensenten in dieser Bibliothek angezeigt worden, und so glauben wir uns bey dieser neuen und verbesserten Auflage um so mehr berechtigt, unser Urtheil über das Verdienst des Dichters, wenigstens im Allgemeinen, niederlegen zu dürfen, zumal da die bey seinem ersten Auftritte über ihn gefällten Aussprüche itzt schwerlich mehr in ihrer vollen Gültigkeit auf ihn anwendbar seyn möchten. Nachdenken über sich selbst und die Natur des Menschen, längere Bekanntschaft mit der Welt und den Leidenschaften, den großen Triebfedern aller Handlungen, tieferes Studium der Kunst und Kritik, und vor allen jene nur mit den Jahren eintretende vorurtheilsfreye Würdigung seiner eignen Vorzüge und Mängel, haben aller[268]dings aus Hrn. Klinger einen ganz andern Dichter gemacht, als er bey seiner ersten Erscheinung war, und zu werden versprach. Zwar erkannte man damals schon in ihm einen Mann von inniger starker Empfindung, nachdrücklicher kräftiger Sprache, lebhafter Theilnahme am Erhabenen, Edelen und Großen und reicher schaffender Phantasie. Allein diese großen und entschiedenen Vorzüge wurden durch eben so große und entschiedene Fehler und Flecken, wenn auch nicht überwogen, doch entstellt und verdunkelt. Das Feuer unsers Dichters artete nicht selten in eine wilde aufbrausende Flamme aus, die nichts weniger als wohlthätig leuchtete und erwärmte; seine Einbildungskraft übersprang sehr oft die Gränzen der Natur und der Wahrheit, und verlor sich ins Abentheuerliche und Träumerische; und seine Darstellung, weit gefehlt den gesunden Geschmack zu befriedigen, beleidigte vielmehr durch sattsamen Wortprunk, auffallende Affectation und gehäufte Metaphern. Ueberdies gab die Ungewißheit, mit welcher Hr. Klinger damals noch unter den Manieren mehrerer Dichter wählte, seinen dramatischen Werken einen zweydeutigen und unbestimmten Charakter, der ihnen nicht zu ihrem Vortheile gereichte. Bald bemerkte man mit Mißvergnügen die Nachahmung eines Musters das gar nicht nach-

47. Vorlage: ›Koneaden‹.

geahmt zu werden verdiente; bald stieß man mitten unter großen Zügen, und wahren der Natur abgewonnenen Schilderungen, auf falsche Gedanken und sonderbare Verirrungen, auf die sein sich selbst überlassener Genius schwerlich gerathen seyn würde, bald vermißt man in seinen Werken den innern Einklang aller Theile, jene glückliche Verbindung und Anordnung, die sich fast immer nur dann findet, wenn das Ganze unmittelbar aus uns selber hervorgeht, und die Erfindung keinem als uns gehört. Aber wenn man einst, und, wie uns dünkt, mit allem Rechte so urtheilte, so wird man wenigstens jetzt nicht mehr, oder doch nicht ohne Ungerechtigkeit, so urtheilen können. Unser Dichter steht dermalen offenbar auf einer ungleich höhern Stufe der Vollkommenheit, als seine frühern Ausstellungen hoffen ließen. Schon die Auswahl, die er unter seinen Stücken getroffen hat, zeigt, daß sein Urtheil fester und sein Kunstgefühl sicherer ist. Mit lobenswerther Gleichgültigkeit hat er unter seinen dramatischen Versuchen alle diejenigen verworfen, welche die meisten Spuren von jugendlicher Geniesucht und ungeläutertem Geschmack an sich trugen, und von der Kritik bereits verurtheilt worden waren, und in den aufgenommenen [269] so viel und oft so wesentliche Veränderungen angebracht, daß wir nichts mehr bedauern, als durch Raum und den Zweck dieser Blätter uns auf die allgemeine Versichrung eingeschränkt zu sehen, daß unsre Leser sie itzt mit ungleich mehr Befriedigung als ehemals aus der Hand legen werden. Nicht nur die Sprache ist natürlicher, wahrer und reiner geworden, auch die Oekonomie der Stücke hat mehrmals gewonnen, und einzelne Scenen eine neue Gestalt erhalten. Ueberall merkt man itzt mehr Reife des Geistes, mehr Ruhe in dem Ideengange, und mehr von der Erfahrung geleitete Weisheit in der ganzen Behandlung. Aber, wie gesagt, eine ausführliche Vergleichung auch nur bey einem Stücke anzustellen, würde uns weit über die Gränzen führen, welche dieser für den Umfang der gesammten deutschen Litteratur bestimmten Zeitschrift gesetzt sind. Nur eins sey uns noch zu erinnern erlaubt. Auch nach allen anerkannten Verdiensten der Klingerschen Stücke können wir doch nicht umhin zu bedauern, daß durch sie unserm Theater so gar wenig genutzt ist. Alle sind mehr Gemälde eines denkenden Geistes, auf denen ein anderer denkender Geist gern mit stiller Betrachtung verweilt, als Darstellungen, die ein gemischtes Publikum fassen und mit Vergnügen und Wohlgefallen sich zueignen könnte. Mehrere Sujets liegen ganz aus dem Gebiete unserer Empfindungen und Wahrnehmungen, und sind uns durch die Bearbeitung im geringsten nicht näher gebracht worden; in andern herrscht eine gewisse Vermischung des Natürlichen und Uebernatürlichen, die selbst schon im Lesen die Täuschung stöhrt, und auf der Bühne, wenn sie auch nachzubilden wäre, alle Würkung verfehlen würde; in noch andern ist, bey aller Schönheit einzelner Scenen und ganzer Auftritte, der Plan und die Anlage so fehlerhaft, daß die Erwartung an dem Fortgange des Stücks wenig oder gar keinen Antheil nimmt; in allen endlich ist der Dialog mehr philosophisch als theatralisch, und bey unverkennbarer Würde und Kraft, von dem Vorwurfe des Gekünstelten und Gesuchten nicht frey. Wie sehr würde Hr. Klinger das ganze dramatische Publikum verpflichten, wenn er bey diesen Talenten und in diesen Jahren einmal ein Stück zu schreiben sich entschlösse, bey dem er die Bühne und die Vorstellung auf derselben unverrückt im Auge behielte. Aber fast zweifeln wir nach der Wendung, die sein Genie genommen, und nach den Werken, die er hervorgebracht hat, daß ihm dieser Lorber von der Muse beschieden ist.   Fe.

Neue allgemeine deutsche Bibliothek. Des siebzehnten Bandes erstes Stück. Kiel: verlegts Carl Ernst Bohn 1795. S. 267–269. [Nach dem Exemplar in der Universitätsbibliothek, Cambridge.]

Georg Gottfried Gervinus

Unter den dichterisch-Productiven der neuen Schule ist der fruchtbarste, und der ächte Repräsentant dieser Zeit Fr. Max. Klinger (aus Frankfurt, 1753–1831). Von einem seiner Stücke hat man diese Zeit die Sturm- und Drangperiode genannt, weil ihr charakteristisches Abzeichen der innere Kampf ist, in dem sich die Jugend befand zwischen Ideal und Welt, Herz und Verstand, Freiheit und Convenienz, Natur und Cultur. Der Mann von Gefühl, von natürlichem

Triebe, der sich im Gegensatze gegen die bestehende Welt
sah und die Künste der Politik und der Weltklugheit ver-
schmähte, galt Klingern, wenn er auch nicht dichtete, als ein
Dichter, und durch all seine zahlreichen Werke, Trauerspiele
und Romane, geht der Zwiespalt durch, in dem er den Menschen dieser Natur mit der wirklichen Welt sieht, der fin-
stere Schmerz darüber, daß diese edlere Natur immer im
Nachtheile gegen den Weltmann erscheint, eine skeptische
Schwarzsichtigkeit, die nichts von Vorsehung in einer Welt
sehen will, wo das Laster über die Tugend siegt, eine män-
nische Kraftäußerung und Starkgeisterei, die sich der Werther'schen Sentimentalität abhold erklärt.

> Handbuch der Geschichte der poetischen National-Litera-
> tur der Deutschen. Leipzig: Engelmann ²1844. S. 239.

Oskar Erdmann

Das Eigentümlichste an diesem Drama ist, dass Klinger hier
zum ersten Mal für seine Stürmer und Dränger, deren er
eine ganze Reihe vorführt, ein wirklich sicht- und greifbares
Gebiet der Tätigkeit und des Wirkens durch Uebersidelung
nach der neuen Welt Amerika, der er damals selbst zu-
strebte, findet, und zugleich, dass er in diesem Drama einen
alle Teile befriedigenden und versöhnenden Abschluss durch
Tilgung des alten, in Europa aufgesammelten Familienhasses
bei den feindlichen Greisen, durch befriedigte Liebe und
Eröffnung einer friedlichen Tätigkeit in [26] der neuen
Welt bei den jungen Paaren erreicht. Und so kann man das
Stück für Klinger selbst als den zusammenfassenden Abschluss seiner Jugendperiode betrachten, ja als dasjenige
Werk, mit dem er selbst für sich die Sturm- und Drang-
periode innerlich auskämpfte und überwand.

> Ueber F. M. Klinger's dramatische Dichtungen. (Pro-
> gramm) Königsberg: Nürnberger 1877. S. 25 f.

Erich Schmidt

Es ist kein Zufall, dass gerade ein Klingersches Stück mit
seinem ihm von Kauffmann aufgedrängten Titel der ganzen
Zeit ihren Namen gegeben hat. Denn in seiner Persönlich-

keit war der Sturm und Drang am meisten ausgeprägt, nicht
ohne absichtliche Schaustellung und Steigerung, aber doch
ohne die klägliche Affectation, mit der sich damals die
zahmsten Grauthiere, weil es eben Mode war, die Löwen-
haut umhängten.

> Lenz und Klinger. Zwei Dichter der Geniezeit. Berlin:
> Weidmann 1878. S. 74.

Erich Schmidt

[Klinger schuf] zu Weimar den »Wirrwarr«, den Kaufmann
in »Sturm und Drang« umtaufte. Dieser Titel wurde die
Devise der Zeit. Wildheit und Spleen verzerren die Gestalten. »Romeo und Julie« und »Claudine«[48] wirken auf die
zerfahrene Handlung und Charakteristik.

> Klinger. In: Allgemeine deutsche Biographie, Bd. XVI.
> Leipzig: Duncker & Humblot 1882. S. 191.

Heinz Steinberg

Auf einen inneren Abstand des Dichters von seinem Helden
deutet schon Wilds Äußerung »Unser Unglück kommt aus
unserer eigenen Stimmung des Herzens, die Welt hat dabei
gethan, aber weniger als wir«[49], außerdem aber auch die
exzentrische Phantastik, die das ganze Stück kennzeichnet,
das sich ja überhaupt am ehesten als groteske Tragikomödie
auffassen läßt. Klinger selbst nennt sein Drama bei der
ersten brieflichen Erwähnung nicht wie später ein Schauspiel
sondern eine »Comödie«, in der er die »tollsten Originalen
zusammengetrieben« habe[50]. Schließlich macht auch das un-
klingerische »happy end« des Schauspiels, das keineswegs

---

48. J. W. Goethe *Claudine von Villa Bella* (1774/75). – Vgl. die Szenenbemerkung zu Anfang dieses Räuber-Singspiels: »Die Musik kündigt
einen Wirrwarr, einen fröhlichen Tumult an, einen Zusammenlauf des
Volks zu einem festlichen Pompe.« – Der Held Crugantino drückt das
jugendliche Gefühl vor der Welt so aus: »wo habt ihr einen Schauplatz
des Lebens für mich? Eure bürgerliche Gesellschaft ist mir unerträglich!«
49. Jgdw. II, 269. Mit dem Hinweis auf ebendiese Worte leitet Brüggemann seine wertvolle Analyse des Dramas ein.
50. Rieger I, 398 unten.

als Beleg einer »optimistischen Anschauung Klingers von Gott und Welt« anzusehen ist[51], einen solchen Abstand wahrscheinlich, so daß wir das Drama im ganzen schwerlich als Dokument eines »jähen« Absturzes auf der Bahn seines Ringens »um eine neue Lebenshaltung und -führung« ansehen dürfen[52]. Immerhin entstand der »Wirrwarr« aus tiefem, eigenem Erleben des Dichters; er hätte ihn sonst nicht »das liebste und wunderbarste was aus meinem Herzen geflossen ist« nennen können[53].

> Studien zu Schicksal und Ethos bei F. M. Klinger. Berlin: Ebering 1941. S. 35 [= Germanische Studien. Heft 234].

51. Wie Kurz, 96 f., meint.
52. So May (Klinger), 407.
53. Rieger I, 404.

BEILAGE

Johann Caspar Lavater

Genie.

Was ist Genie? Wer's nicht ist, *kann* nicht; und wer's ist, *wird* nicht antworten.* – Vielleicht kann's und darf's einigermaßen, wer dann und wann gleichsam in der Mitte schwebt, und dem's wenigstens bisweilen gegeben ist, in die Höhe über sich, und in die Tiefe unter sich – hinzublicken.

Was ist *Genie*? was ist's nicht? Ist's bloß Gabe ausnehmender *Deutlichkeit* in seinen Vorstellungen und Begriffen? Ist's bloß anschauende Erkenntniß? Ist's bloß richtig sehen und urtheilen? viel wirken? ordnen? geben? verbreiten? Ist's bloß – ungewöhnliche Leichtigkeit zu lernen? zu sehen? zu vergleichen? Ist's bloß *Talent*? –

Genie ist *Genius.*

Wer bemerkt, wahrnimmt, schaut, empfindet, denkt, spricht, handelt, bildet, dichtet, singt, schafft, vergleicht, sondert, vereinigt, folgert, ahndet, giebt, nimmt – als wenn's ihm ein *Genius*, ein *unsichtbares Wesen höherer Art* diktirt oder angegeben hätte, der *hat* Genie; als wenn er selbst ein Wesen höherer Art wäre – *ist* Genie.

Einen *reichen oder weisen Freund haben*, der uns in jeder Verlegenheit räth, in jeder Noth hilft – und *selbstreich seyn*, und andern in jeder Noth helfen; *selbstweise*, andern in jeder Verlegenheit rathen zu können – siehe da den Unterschied zwischen *Genie seyn*, und *Genie haben.*

Wo Wirkung, Kraft, That, Gedanke, Empfindung ist, die *von Menschen nicht gelernt und nicht gelehrt werden kann* – da ist *Genie. Genie* – das allererkennbarste und unbe-

---

* »Ne cherchés point, jeune artiste, ce que c'est que le Genie. En as-tu: tu le sens en toi-même. N'en as-tu pas: tu ne le connoitras j'amais.« Rousseau Diction. de Musique. p. 360.

schreiblichste Ding! fühlbar, wo es ist, und unaussprechlich
wie die Liebe.

[81] Der Charakter des Genies und aller Werke und Wirkungen des Genies – ist meines Erachtens – *Apparition* ...
Wie Engelserscheinung *nicht kömmt* – sondern *da steht*;
nicht *weggeht*, sondern weg *ist*; wie Engelserscheinung ins
innerste Mark trifft – unsterblich ins Unsterbliche der
Menschheit wirkt – und verschwindet, und fortwirkt nach
dem Verschwinden – und süße Schauer, und Schreckens-
thränen, und Freudenblässe zurück läßt – So Werk und
Wirkung des Genies. –

Genie – propior Deus ...

Oder – nenn' es, beschreib' es, wie du willst – Nenn's *Frucht-
barkeit des Geistes! Unerschöpflichkeit! Quellgeist!* Nenn's
Kraft ohne ihres gleichen – *Urkraft, kraftvolle Liebe*;
nenn's *Elastizität der Seele*, oder der *Sinne* und des *Nerven-
systems* – die leicht Eindrücke annimmt, und mit einem
schnell ingerirten Zusatze lebendiger Individualität zurück-
schnellt – Nenn's unentlehnte, natürliche, innerliche *Energie*
der Seele; nenn's *Schöpfungskraft*; nenn's Menge *in-* und
extensifer Seelenkräfte – *Sammlung, Konzentrirung aller
Naturkräfte*; nenn's *lebendige Darstellungskunst*; nenn's
Meisterschaft über sich selbst; nenn's *Herrschaft über die
Gemüther*; nenn's *Wirksamkeit*, die immer trifft, nie fehlt in
alle ihrem Wirken, Leiden, Lassen, Schweigen, Sprechen;
nenn's *Innigkeit, Herzlichkeit*, mit Kraft sie fühlbar zu
machen. Nenn's *Zentralgeist, Zentralfeuer*, dem nichts
widersteht; nenn's *lebendigen* und *lebendig machenden
Geist*, der sein Leben fühlt, und leicht und vollkräftig mit-
theilt; sich in alles hineinwirft mit Lebensfülle, mit Blitzes-
kraft – Nenn's *Uebermacht* über alles, wo es hintritt; nenn's
Ahndung des Unsichtbaren im Sichtbaren, des Zukünftigen
im Gegenwärtigen. Nenn's tiefes erregtes Bedürfniß mit
Ahndung innerer Kraft, die das Bedürfniß stillt und sät-
tigt – Nenn's *ungewöhnliche Wirksamkeit durch ungewöhn-
liches Bedürfniß erregt und unterhalten*! Nenn's ungewöhnliche *Schnelligkeit* des Geistes, *entfernte Verhältnisse* mit
glücklicher Ueberspringung der Mittelverhältnisse *zusam-
menzufassen* – oder *Aehnlichkeiten*, die sich nicht heraus-
forschen lassen, *im eilenden Vorbeyflug zu ergreifen* –

Nenn's »*Vernunft im schnellsten Flammenstrome der Empfindung und Thätigkeit.*« – Nenn's *Glaube, Liebe, Hoffnung,* die sich nicht geben, nicht nachäffen läßt; oder nenn's schlechtweg nur *Erfindungsgabe* – oder *Instinkt*: Nenn's und beschreib's, wie du willst und kannst – alle[82]mal bleibt das gewiß – das *Ungelernte, Unentlehnte, Unlernbare, Unentlehnbare, innig Eigenthümliche, Unnachahmliche, Göttliche* – ist Genie – *das Inspirationsmässige ist Genie* – hieß bey allen Nationen, zu allen Zeiten Genie – und wird's heißen, so lange Menschen denken und empfinden und reden. *Genie* blitzt; Genie *schafft; veranstaltet* nicht; *schafft!* So wie es selbst nicht *veranstaltet* werden kann, sondern *ist!* Genie vereinigt, was niemand vereinigen; trennt, was niemand trennen kann; sieht, und hört und fühlt, und giebt und nimmt – auf eine Weise, deren Unnachahmlichkeit jeder andere sogleich innerlich anerkennen muß – Unnachahmlich und über allen Schein von Nachahmlichkeit erhaben ist das Werk des reinen Genius. Unsterblich ist alles Werk des Genies, wie der Funke Gottes, aus dem es fließt. Ueber kurz oder lang wird's erkannt – wird seine Unsterblichkeit gesichert. Ueber kurz oder lang alles herabgewürdigt, was schwachen Köpfen *Genie* schien und nicht war; nur Talent; nur gelernt, nur nachgeahmt, nur Faktize war, *nicht Geist war aus Geist*; nicht quoll aus unlernbarem Drange der Seele; nicht war Kind der Liebe! Abdruck des innern Menschen! Ausgeburt und Ebenbild der verborgensten Kraft! Lauf alle Reihen der Menschen durch, die ganze Nationen und Jahrhunderte mit Einer Stimme *Genie* nannten – oder deren Werke und Wirkungen unsterblich sind und fortleben von Geschlecht zu Geschlecht, und nie zu verkennen, nie auszulöschen sind – wenn noch so viele, noch so stürmende Stürme über sie brausen – Nenn unter allen Einen – der nicht gerade um deßwillen Genie hieß – und war – weil er *Ungelerntes* und *Unlernbares* empfand, sprach, dichtete, gab, schuf! *Unnachahmlichkeit* ist der Charakter des *Genies* und seiner Wirkungen, wie aller Werke und Wirkungen Gottes! *Unnachahmlichkeit; Momentaneität; Offenbarung; Erscheinung; Gegebenheit,* wenn ich so sagen darf! was wohl geahndet, aber nicht *gewollt*, nicht *begehrt* werden kann – oder was man hat im Augenblick des

Wollens und *Begehrens* – ohne zu wissen *wie*? – was gegeben wird – nicht von Menschen; sondern von Gott, oder
vom Satan!

Physiognomische Fragmente zur Beförderung der Men-
schenkenntniß und Menschenliebe. Vierter Versuch.
Leipzig und Winterthur: Bey Weidmanns Erben und
Reich, und Heinrich Steiner und Compagnie 1778.
S. 80–82. [= I. Abschnitt. X. Fragment.]. [Nach dem
Exemplar im Britischen Museum, London.]

ZUR TEXTGESTALT

Der Neudruck folgt der Erstausgabe, für die das Exemplar der Universitätsbibliothek Erlangen (Signatur: Sch. L. 2316) zugrunde gelegt wurde. In der folgenden Liste sind die wichtigsten Varianten der unter Klingers Mitwirkung besorgten *Theater*-Ausgabe von 1786 (Exemplar des Britischen Museums London, vgl. S. 137 zu B) mitgeteilt. Für die zeitgenössischen Rezensionen und Dokumente (S. 75 ff.) ist der Fundort von Fall zu Fall angegeben. Herzlichen Dank spreche ich den Bibliotheken in Cambridge, Darmstadt, Erlangen, Frankfurt am Main, Gotha, London, Lübeck, Stralsund, Straßburg und Wien, ferner dem Institut für Deutsche Presseforschung bei der Staatsbibliothek Bremen aus und besonders Herrn Kurt Hans Staub in Darmstadt für die Beschaffung und Herstellung von Filmen und Kopien seltener Materialien.

Die in der Bibliographie aufgeführten Neudrucke wurden, soweit zugänglich, mit der Erstausgabe verglichen. Dabei konnten mancherlei Abweichungen und falsche Lesungen rückgängig gemacht werden. Für die Überprüfung und Deutung des Sprachstandes der Erstausgabe war der Vergleich mit dem Adelungschen Wörterbuch (2. Aufl. 1793 ff.) sehr nützlich, dessen Formulierungen in den Textanmerkungen möglichst beibehalten wurden.

Der Neudruck ist wort-, laut- und zeichengetreu, allein å, ö, ü werden als ä, ö, ü wiedergegeben und das in Fraktur einheitliche J beim Antiquasatz in I und J differenziert. Da ein Manuskript des Stücks nicht bekannt ist, wurde auf eine Vereinheitlichung des Textes verzichtet. Über Klingers Beteiligung an der Drucklegung berichtet das Nachwort. Abweichungen von der Vorlage verzeichnet die folgende Liste:

4, 6 Jenny Caroline] Jenny, Caroline (vgl. dazu 26, 24) – 5, 29 Mistlacken] Mistlacken (vgl. die Fußnote zu der Stelle) – 15, 23 Berkley] Bushy – 24, 5 ennuire] erinnere – 47, 24 (Wollen] Wollen 50, 5 Dritte] Zweyte – 51, 32 Vierte] Dritte – 53, 23 Fünfte] Vierte – 55, 16 Weißen] Waisen – 55, 16 grause] prause – 56,25 Sechste] Fünfte – 65, 26 Berkley] Kapitain – 71, 34 Wild] und – 72, 13 f. wartetest] wartest

An Druckfehlern und im Druck verkehrten Buchstaben, die die Erstausgabe kennzeichnen, wurden berichtigt: 7, 28 I*n* – 12, 35 *u*m – 28, 20 sei*n*er – 28, 30 *n*icht – 30, 31 Campag*n*e – 52, 33 de*n*n – 60, 36 mei*n*e – 62, 25 we*n*n – 67, 15 Geängsteter] Grängsteter – 71, 16 Pistole*n* – 71, 25 war] wur

Abweichungen der *Theater*-Ausgabe (1786) von der Erstausgabe.

3, 2 ff. Schauspiel / in fünf Aufzügen. / Von 1775. – 4, 6 Jenny Caroline, seine Tochter – 4, 9 Boyer. – 4, 14 Die Scene ist Amerika. – 5, 1 Erster Aufzug. [In der Folge immer ›Aufzug‹ statt ›Akt‹.] – 5, 2 Erster Auftritt. [In der Folge immer ›Auftritt‹ statt ›Scene‹.] – 5, 4 Reisekleidern.) (hernach) der Wirth – 5, 6 Dachfahnen – 5, 8 f. würklich anfängt ein wenig besser zu werden. – 5, 9 f. hundert Meilen gereiset, um – 5, 16 Narr! es sollt – 5, 19 Phantasie, ich wandle – 5, 21 Apoll, närrischer – 5, 23 mit samt – 5, 24 verwandlen. – 5, 29 Mistlaken – 6, 17 f. nicht, daß wir uns einschifften? – 6, 21 ihm, wild – 6, 26 Feenschloß, La Feu! – 6, 28 Zwergchen? – 7, 1 bissiger, – 7, 5 so wißt, – 7, 10 Amerikanischem – 7, 23 mir's – 7, 30 Passion – 7, 31 nichts, Blasius. – 7, 32 Nein, ich lieb' nichts. Ich hab's – 8, 19 f. gescheid, Freund! – 8, 20 lieb' euch, – 8, 22 Unglücksvögel – 8, 31 Glückseligkeit, die – 8, 33 für'n – 9, 5 soll's – 9, 10 interessirten, – 9, 12 lieber, nicht – 9, 23 mitmachen – 9, 27 Hol – 9, 29 könnten's – 9, 30 sie's – 9, 32 Schiffskapitain – 10, 8 f. bereit. Sonst – 10, 18 mag's – 11, 8 an diesem Kartenschloß. – 11, 12 f. hinein verschließen, und nichts anders fühlen und denken, als – 11, 19 zurückdenk. – 11, 27 nicht, wie – 11, 30 Recht wohl, Mylord! – 11, 35 Bushy, es – 12,5 Bushys Magd, Miß! – 12, 11 f. Lebe unsre Lordschaft! – 12, 24 curios ist's, Kind, – 12, 26 aus meinem widrigen Leben – 13, 3 nassem – 13, 6 freylich war's – 13, 33 f. Was kann ich dafür, daß mir's – 13, 35 Ich fühl's – 13, 37 vorposaunen, wie – 14, 9 sagen, einen – 14, 22 f. Leben, wo – 14, 26 bis – 15, 3 Morgens – 15, 6 herb zum – 15, 9 an meinem Hals – 15, 15 Augenblick, Miß! – 15, 20 bey Gott, nein! – 15, 23 Lord Berkley, geh jetzt nicht weg! Hier wird's so eng, – 15, 25 Nein! nein! – 15, 27 hat, so ist's ihm – 15, 29 Ausbrüche, die – 15, 32 so viel, und – vor 16, 2 Caroline. Louise. – 16, 3 Morgen, Miß!

– ja sich nur, – 16, 11 dir, Kind? – 16,12 Nichts, nichts – – 16, 15
Nach Londen, Bäschen! – 16, 21 das, meyn ich, – 17, 1 Letzthin –
17, 4 er's – 17, 10 Finger. – allenfalls – 17, 16 f. verbannt, Miß! –
17, 17 nicht, was – 17, 26 verstund's – 17, 28 neidisch, Base, –
17, 30 Und dann – 17, 32 besuche, die – 18, 1 alle, spiel – 18, 2
Kräusel, und ihnen – 18, 5 Ursachen. Auch weiß ich nicht, was –
18, 7 glücklich, Base, – 18, 10 f. ausführen, so ist's – 18, 11 weißt –
18, 15 Lady Kathrin. Vorige. – 18, 32 doch, Louischen, – 18, 33
sind's. – 19, 9 sittsam, Miß! – 19, 18 f. Hier meine Herren, belieben Sie zu warten, die Ladys werden – 19, 22 f. Damenzimmer. –
20, 7 ist's. – 20, 25 mach's – 20, 30 ließest. – 20, 31 mir's – 21, 3
nein, ich – 21, 8 hat, ewige – 21, 12 Hoffnung – 21, 13 süßer –
21, 15 dem, der – vor 21, 17 Lady. Kathrin. Louise. Vorige. – 21, 17
Lady Kathrin und Louise (treten – 21, 18 beiden – 21, 29 Vormund, Mylady! – 21, 30 Miß, ich – 22, 1 Ha! Ha! Herr – Blasius
– 22, 3 Also Sir Blasius – 22, 4 f. Freylich – *(eine spöttische Verbeugung) –* – 22, 6 ff. Instrument. Ha. Ha! o das ist zum Sterben!
Warum so ernsthaft? – – 22, 12 f. geht Ihr Freund weg? – 22, 14 f.
sagen, Mylady – Blasius, du weißt's ja. – 22, 17 wenn's – tritt's –
22, 22 Sie, er – 22, 26 verdrießlich – 22, 30 Mylady mag – 22, 33
durch's – 22, 34 f. Sie, Mylord? – 23, 1 verdrießlich – 23, 1 f.
Mylady, Sie – 23, 3 (eben so) – Nichts – – 23, 4 Und Sie, Mylord? –
23, 6 seliges Schicksal, das – 23, 10 Mückenaugen, um alle Ihre –
23, 17 Ja, Mylady, – 23, 26 Allerdings, Sir! – 23, 27 doch, Nichtchen! – 23, 29 Ja, reizende – 23, 31 Sie träumen – 23, 34 schön,
Miß! – 24, 1 Lieben? Was – 24, 2 f. Liebt Sir Wild – 24, 4 mag's –
24, 5 f. ich hab Langeweile zum Sterben. – 24, 8 f. Wollen Sie den
Thee im Garten – 24, 11 Wie's – 24, 17 Nun, Mylord? – 24, 18 Ja,
wie – 24, 22 Ja, meine Göttin! ich – 24, 24 Und, Mylady! – 24, 28
deucht, wir – 24, 29 das, sympathisiren? – 24, 30 f. nicht, Mylady, –
24, 32 sind, Mylord! – vor 25, 14 Wild. Caroline. – 25, 29 Darf –
26, 2 ja Sir, aus – 26, 4 schlägt's – 26, 5 find' – 26, 6 fassend. –
Engel, – 26, 12 reiste – 26, 16 Ja leiden! – 26, 17 f. Mylady's
Name? – 26, 20 war's – 26, 31 Glückliche, der – 26, 37 f. Carl
Bushy, und verlaßt mich? – 26, 40 umfassend.) – 27, 1 Glückliche –
– 27, 7 f. bin's, der, dein – 27, 17 Fliehen? – 28, 3 f. geboten denn –
28, 6 Unbehagliche, – 28, 10 ja Jenny, du – 28, 15 Augenblick,
Carl! – – 28, 19 mir, bey diesem – 28, 27 dreyzehn – funfzehn –
28, 32 bist's – 29, 3 ist's – 29, 4 ist's – 29, 11 Hm! morgen – – –
29, 13 ließest's – 29, 36 interessiren. – 29, 37 Sir, Sir, – 30, 3 O

mein Vater, er leidet so viel. − 30, 9 sage, Sir − − 30, 10 hatt' −
30, 12 f. und sehen Sie, Sir, wenn ich ihn ertapp, − 30, 19 f. Und
so müssen − 30, 25 f. Wenn Sie − 30, 37 O Sir! auf − 30, 38 als im
Canonenfeuer. − 31, 24 Tausend Dank, Sir! − 31, 24 f. He, Bushy! −
32, 9 f. gekannt, die − 32, 14 mir, wie − 32, 17 gut! Das ist gut! −
32, 24 f. Sir, die Freude wäre zu groß, einen − 32, 26 muß! ich −
32, 31 (Wild will abgehen.) − 32, 31 f. noch! Aber − 32, 33 gebracht? Wenn − 32, 39 Glauben Sie, daß ich's − 33, 1 Warum nicht,
Mylord? − 33, 7 Heuchler, Sir? − 33, 16 Stoff − 33, 18 Behüte, Sir! −
33, 23 Ja, Sir, leben Sie wohl. − 34, 4 Zimmer des ersten Auftritts
des ersten Aufzugs. − 34, 25 Glaubst du wol, daß − 34, 32 selig −
35, 5 mit ihrem eiskalten Wasser begossen, − 35, 10 ging durch
Zauberörter, − 35, 12 Fliege, die − 35, 13 los zu werden, − 35, 29
London − (bitter) − 36, 7 f. Gute Nacht, Donna − vor 36, 16
Wild. Vorige. − 36, 16 ist's − 36, 25 dir's, mir ist's − 36, 30 Vorige.
Der Mohr. − 36, 31 Sie, Sir? − 36, 32 Nichts, als − 36, 34 Ekstase.) −
37, 6 schon, guter Kapitain. − 37, 9 harter Kapitain! − 37, 12 wilder Kapitain! − 37, 19 O Kapitain! mir − 37, 20 f. Guter Kapitän!
Tygerthier! toller Kapitain! − 37, 27 gesehen, die − 37, 29 Ja Kapitain. − 38, 5 Jetzt wollen wir's − 38, 6 fürcht't − 38, 30 (packt −
vor 39, 29 *Wild. Vorige.* − 40, 3 doch, daß − 40, 11 von weitem −
40, 22 wüthet. − 40, 26 Dich seh, meine Nerven zucken, − 40, 29
mir's − 40, 30 Spaßes − 40, 32 nicht an einem Ort − 40, 34 Weißt −
41, 2 holen, wenn Du Dich todtschießen lässest. − 41, 12 Geschenk, wenn − 41, 18 f. der Erste unter den Männern! − 41, 24
von neuem − 42, 15 (verdrießlich) − 42, 24 auch, daß − 42, 28 wär's
− 42, 31 ging − 42, 34 f. wäre, der − vor 43, 2 *La Feu. Louise.*
Kathrin. − 43, 2 f. nicht, meine − 43, 9 f. dir, meine − 43, 34 morgen, − 44, 2 (verdrießlich.) Nein Mylord! − 44, 5 ich's − 44, 10 er's −
44, 18 Ja, ja, Bushy, − 44, 19 wir's − vor 45, 14 *Caroline, Wild.* −
45, 15 Laßt's − 45, 26 Ich will − 46, 4 Du hast − 46, 28 *herauf.*
Vorige. − 47, 3 jetzt! − 47, 7 waren's, − 47, 10 mich's − 47, 11
Neuigkeit − − 47, 20 sich, Mylord, − 47, 24 *wollen an ihm vorbey*
gehen. (Gehn [= ohne die Angabe: *Louise.*] − 48, 3 *Nacht. Berkley's*
− vor 48, 4 *Berkley. Bedienter.* − 48, 11 wenn's der Schiffskapitain
ist, der's − 48, 12 (Bedienter − vor 48, 14 *Kapitain. Berkley.* −
48, 23 Wie's − 48, 28 Ich muß Sie küssen, − 49, 2 Wen − 49, 6 hast
du sein − Harry! − 49, 10 bist's − 49, 19 bist's. − 49, 25 ich, ha!
ha! − 50, 6 *Caroline. Mohr. Vorige.* − 50, 14 kann's − 50, 15 f.
hervorbringen, so freut's − 50, 18 wieder, alter − 50, 26 dein,

Lady! – 51, 8 segnete. – 51, 9 Sahst du herab, wie – 51, 10 f. Sieh jetzt herab! – Daß – 51, 13 sie! – 51, 23 todt, mein – 52, 1 ist's? – 52, 2 He Sir! – 52, 10 Er ist todt, mein Feind! – – 52, 11 f. hin? *Caroline.* – 52, 16 pfiff – 52, 17 mir's – 52, 33 Thut's das, Mylord, – 52, 37 Schottländer, was – 53, 12 Laßt's – 53, 27 Wilds, Carl Bushy, den – 53, 36 mein, Alter! – 54, 4 (Caroline umarmet Berkley.) – 54, 12 denn, Harry! – 54, 20 rechtschaffnen – 54, 21 rechtschaffnen – 54, 24 nicht, Kapitain. – 54, 25 Satan, ich – 54, 27 war's! – 55, 9 Teufeln, ich – 55, 16 Weißen ist's. – meine grausen Haare – 55, 17 mir's – 55, 18 ist's – 55, 23 seinem – 55, 27 holdselige! – 55, 31 danke dir, Knabe! – 56, 1 Gut war's, – 56, 4 unbewaffnet – 56, 7 bey Bushy! – 56, 18 Komm, mein Sohn! – 56, 36 öffnest, – 57, 1 schützest – 57, 4 daseyn – 57, 5 daseyn – 57, 12 Liebe Unglückliche, alle – 57, 14 f. ich hatte sie nie. – 57, 28 f. Gute Nacht, Bruder! Gute Nacht, Bruder – 57, 34 *Degen.) Vorige.* – 58, 19 worin – 58, 25 ist's – 58, 27 Nein, liebe Miß! – 59, 13 ob's noch – 59, 17 begreif's – 59, 17 f. her? Ich war – 59, 23 und den Wild machte. – – 59, 24 f. und jetzt ist vielleicht seine Stärke zerbrochen, sein Herz erkaltet. – Karl! – vor 59, 27 *Mohr. Vorige.* – 60, 5 wo sind wir denn? – 60, 6 Weißt – 60, 7 bös – 60, 12 ich's – 60, 20 mir's – 60, 32 Beide – 61, 8 Blasius. Ewiger – 61, 13 fortkommen – 61, 16 trat's – 61, 25 mir's – 61, 30 solch eine Maske – 61, 31 f. bey den süßen Gedanken. – 62, 9 unserm – 62, 21 spricht, quält – 62, 24 ja – 63, 1 Wahrlich, – 63, 8 f. ich bin heute wieder herabgespannt, nicht, – 63, 35 Kapitain. – 64, 1 Kapitain. – 64, 7 ich hab mich – 64, 9 Ist das dir werth Lermen zu machen? – 64, 15 f. Kommen Sie, – 64, 18 Ja, liebe – 64, 19 Neptunus, – 64, 27 kriegt, – 64, 30 Siehst Du, Miß? da – 64, 34 Ich wollt aber – 65, 6 geht's – 65, 21 Gott Lob! das – 65, 24 f. das wußt ich doch, Vater, – 65, 30 da, – 66, 16 wohl, – 66, 22 du sollst dich – 66, 24 du deinen – 66, 25 sey's – 67, 4 deinem – 67, 5 f. fühlst du Jenny, siehst du? – 67, 8 Gefühls, es reißt hier, Miß! – 67, 10 dein – 67, 13 da, das – 67, 14 da, das – 67, 15 Laß dir Ruhe geben, laß dir – 67, 17 du – 67, 22 endet's? – 67, 24 Verbirg mir deine Liebe! – 67, 28 im – 67, 38 mir's – 68, 16 Füßen, – 68, 23 Zwieback – vor 69, 2 *Lord Bushy. Vorige.* – 69, 11 wieder gefunden! – 69, 21 f. Ich hab Waffen hier. (aufs – 69, 30 jetzt – 69, 36 Dank dir, – 69, 38 Weißt du, Karl, – 70, 4 Nun, Miß, – 70, 6 Führt – 70, 12 vergeb's – 70, 15 f. darstellen. Kann ihm mein Anblick Zorn einjagen? er – 70, 18 daseyn – 70, 24 *nach.) Vorige.* – 70, 31 bin's, – 71, 13 jenem –

71, 14 da, wo – 71, 18 dir – 71, 20 dir – 71, 21 du – 71, 22 du –
71, 24 umfassend – 71, 25 sie, als – 71, 29 umfassend – 71, 34 Hund,
du – Miß fest – 71, 35 f. aller Welt – 71, 37 an, so schön – 71, 38
ich will dich locken! – 71, 40 Kind, zu – 72, 6 Vater, vergeßt! –
72, 11 halt's – 72, 13 f. wartetest – 72, 17 um's Herz, – 72, 18 dein
Kind, Lord! dein – 72, 29 Bushy, rede nicht! – 72, 34 je mehr –
73, 8 f. unser Interesse sich an einander stieß, – 73, 11 beyde? –
73, 19 dir – 73, 20 dir an, daß du – 73, 23 dir, – 73, 24 dich –
73, 26 dich – 73, 29 du – 73, 30 Komm, – 73, 31 Bleib, Harry! –
73, 35 Hier, – 73, 37 dir – 73, 40 dir – 74, 2 dich – 74, 6 [die
Szenenbemerkung des Schlusses fehlt.]

BIBLIOGRAPHIE

a) Originalausgaben:

A. 1. *Sturm und Drang*. Ein Schauspiel von Klinger. 1776. o. O.
u. D. [Berlin: George Jacob Decker]. 8°. 115 S.

2. *Sturm und Drang*. Ein Schauspiel von Klinger. 1776. In:
Sammlung neuer Originalstücke für das deutsche Theater.
Berlin und Leipzig, bey George Jacob Decker. 1777. Bd. I.
[Nachdruck als Titelauflage, der aber wohl nur in einem Teil
der Auflage eingefügt wurde, da Rezensionen der Sammlung
Klingers Schauspiel teilweise erwähnen, teilweise nicht nen-
nen. Ausgabe war dem Herausgeber nicht zugänglich.]

3. *Sturm und Drang*. Schauspiel. 8°. Basel 1777. [Nachdruck
oder Titelauflage, mit der Angabe des Verlagsbuchhändlers
Rottmann in Berlin und dem Preis von 10 Kreuzern erwähnt
in Kayser, *Vollständiges Bücher-Lexicon*. VI. Schauspiele.
1835. S. 52. Ausgabe war dem Herausgeber nicht zugänglich.]

4. *Sturm und Drang*. Basel 1780. [Nachdruck oder Titelauflage;
identisch mit 3(?). In Goedekes *Grundriß*, a. a. O., verzeichnet. Ausgabe war dem Herausgeber nicht zugänglich.]

5. *Sturm und Drang*. In: Deutsche Schaubühne. 170. Theil.
Wien, o. J. u. D. [Titelauflage von 1.]

B. *Sturm und Drang*. Ein Schauspiel in fünf Aufzügen. Von
1775. In: F. M. Klinger's Theater. Der Schwur. Die neue
Arria. Sturm und Drang. Zweyter Theil. Riga: bei Johann
Friedrich Hartknoch 1786. S. 263–372.

b) Neudrucke:

1. F. M. Klinger: *Sturm und Drang*. Leipzig: Reclam 1870. 68 S.
(= Universal-Bibliothek Nr. 248).

2. In: F. M. Klinger's *Ausgewählte Werke*. Bd. I. Stuttgart: Cotta
1878.

3. [Titelauflage von 2] (= Cotta's Deutsche Volks-Bibliothek.
4. Reihe, 1. Lieferung).

4. F. M. von Klinger: *Sturm und Drang*. Ein Schauspiel in fünf
Aufzügen. Leipzig u. Wien: Bibliographisches Institut o. J. [ca.
1890]. 62 S. (= Meyers Volksbücher Nr. 599).

5. In: *Stürmer und Dränger*. Erster Teil. Klinger und Leisewitz. Hrsg. von Dr. A[ugust] Sauer. Stuttgart: Union Deutscher Verlagsgesellschaft MDCCCXC. S. 63–124; dazu: Einleitung, S. X f. (= Deutsche National-Literatur, Hrsg. von Joseph Kürschner. 79. Band I).

6. In: *Sturm und Drang*. Dichtungen aus der Geniezeit. Hrsg. von Karl Freye. Dritter Teil: Klinger. Berlin, Leipzig, Wien, Stuttgart: Bong o. J. [1911]. Bd. III, S. 195–251; dazu: Einleitung Bd. I, S. LIX–LXXVIII, besonders S. LXXIV f.; Anmerkungen Bd. IV, S. 514 f.

7. In: F. M. Klinger: *Dramatische Frühwerke*. Hrsg. von Hans Behrendt u. Kurt Wolff. Leipzig: Rowohlt 1912. Bd. II, S. 261 bis 355; dazu: Einleitung Bd. I, S. XIII–LXIII, besonders S. XLVI ff.; Anmerkungen Bd. II, S. 442–453.

8. In: *Sturm und Drang* in einem Band. Hrsg. von Rudolf K. Goldschmit. Stuttgart: Walter Hädecke 1924. S. 9–74 (= Diotima-Klassiker).

9. In: *Sturm und Drang*. In Auswahl hrsg. von Dr. Karl Hoppe. Leipzig: J. J. Weber o. J. S. 169–207.

10. In: *Sturm und Drang*. Ein Lesebuch für unsere Zeit von Klaus Herrmann u. Joachim Müller. Weimar: Thüringer Volksverlag 1954. S. 114–140 [Auswahl], [8]1968. S. 46–71.

11. In: Klingers *Werke in zwei Bänden*. Hrsg. von Hans-Jürgen Geerdts. Weimar: Volksverlag 1958, [2]1964. Bd. I, S. 99–162; dazu: Anmerkungen ebd., S. 292 ff. (= Bibliothek deutscher Klassiker).

12. In: *Sturm und Drang*. Dramatische Schriften. Plan u. Auswahl von E[rich] Loewenthal u. L[ambert] Schneider. Bd. II. Heidelberg: Lambert Schneider 1959, [2]1963. S. 289–349; dazu: Bibliographie ebd., S. 624; Anmerkungen ebd., S. 665.

13. In: *Sturm und Drang. Klassik. Romantik*. Texte und Zeugnisse. Hrsg. von Hans-Egon Hass. Bd. I, München: Beck 1966. S. 576–579 [Akt I Szene 1].

14. In: *Sturm und Drang*. Werke. Hrsg. von R. Strasser. Frankfurt: Bong 1966.

15. In: *Sturm und Drang*. Dichtungen und theoretische Texte in zwei Bänden. Auswahl und Nachwort von Heinz Nicolai. Anmerkungen von Elisabeth Raabe und Uwe Schweikert. München: Winkler 1971. Bd. II, S. 1144–99 (= Winkler Dünndruck-Bibliothek).

Eine historisch-kritische Ausgabe der Werke Klingers wird von Sander L. Gilman und Ulrich Profitlich im Verlag Niemeyer, Tübingen, vorbereitet.

bb) Übersetzung:

F. M. Klinger: *Tempesta e assalto* [Sturm und Drang]. Übers. von Lavinia Mazzucchetti. Torino: U. T. E. T. o. J. [ca. 1935] (= Grandi Scrittori Stranieri, collana di traduzioni. Diretta da Arturo Farinelli; No. 44)

c) Literaturhinweise:

Grimm: *Deutsches Wörterbuch.* Leipzig 1854 ff.
  s. v. ›Drang‹ – Bd. II, Sp. 1334;
  s. v. ›Genie‹ (11) – Bd. IV, 1. Abt., 2. Teil, Sp. 3428 ff.;
  s. v. ›Sturm‹ – Bd. X, 4. Abt., besonders Sp. 585 f.;
  s. v. ›Wirrwarr‹ – Bd. XIV, 2. Abt., Sp. 620 f.

Karl Goedeke: *Grundriß zur Geschichte der deutschen Dichtung.* Bd. IV, 1. (³1916; Nachdruck) Berlin: Akademie-Verlag 1955. S. 800–811 u. 1160, besonders S. 806 (= Buch VI, § 230, 8).

Ernst Schulte-Strathaus: *Bibliographie der Originalausgaben deutscher Dichtungen im Zeitalter Goethes.* München u. Leipzig: Müller 1913. S. 196–217, besonders S. 200.

Oskar Erdmann: *Über F. M. Klingers dramatische Dichtungen.* Programm des Wilhelm-Gymnasiums. Königsberg 1877.
  Rezensionen: Zs. f. dt. Phil. 9 (1878) S. 493–496 (M. Rieger); Anz. f. dt. Alt. 4 (1878) S. 213 (E. Schmidt); Zs. f. d. österr. Gymn. 30 (1879) S. 276–298 (R. M. Werner).

Erich Schmidt: *Lenz und Klinger. Zwei Dichter der Geniezeit.* Berlin: Weidmann 1878.
  Rezensionen: Anz. f. dt. Alt. 5 (1879) S. 375 (O. Erdmann); Beil. z. Wiener Abendpost Nr. 186, 1879 (R. M. Werner); Arch. f. dt. Lit.gesch. 11 (1882) S. 611–625 (O. Brahm).

Max Rieger: *Klinger in der Sturm- und Drangperiode.* Darmstadt: Arnold Bergsträsser 1880.
  Rezensionen: Dt. Lit.bl. Nr. 16, 1880. S. 93; Lit. Zentralbl. Nr. 49, 1880. S. 1674; Dt. Lit.ztg. Nr. 16. S. 1881; Anz. f. dt. Alt. 7 (1881) S. 445 f. (B. Seuffert); Zs. f. dt. Phil. 12 (1881) S. 382 (O. Erdmann); Westerm. Monatsh. 26 (1881) S. 193 f. (M. Carriere); Gött. Gel. Anz. 160 (1881) S. 36–46 (B. Seuffert).

Erich Schmidt: *Klinger*. In: Allgemeine deutsche Biographie. Bd. XVI. Leipzig: Duncker & Humblot 1882. S. 190–192.

Heinrich Düntzer: *Christof Kaufmann, der Apostel der Geniezeit und der Herrnhutische Arzt*. Ein Lebensbild mit Benutzung von Kaufmanns Nachlaß entworfen. Leipzig: Ed. Wartig's Verlag (Ernst Hoppe) 1882.

Elisabeth Mentzel: *Geschichte der Schauspielkunst in Frankfurt am Main von ihren ersten Anfängen bis zur Eröffnung des städtischen Komödienhauses*. Ein Beitrag zur deutschen Kultur- und Theatergeschichte. Frankfurt a. M.: Völcker 1882.

Franz Prosch: [Anzeige von A. Sauers DNL-Ausgabe der *Stürmer und Dränger*, s. o. S. 138 Neudrucke Nr. 5]. In: Zs. f. d. österr. Gymn. 34 (1883) S. 909–927.

Ludwig Jacobowski: *Klinger und Shakespeare*. Ein Beitrag zur Shakespearomanie der Sturm- und Drangperiode. Dresden u. Leipzig: Pierson 1891 (= Diss. Freiburg).

Heinrich Düntzer: *Klinger in Weimar*. In: Arch. f. Lit.gesch. 11 (1892) S. 64–86.

Max Rieger: *Klinger in seiner Reife, mit Briefbuch*. Darmstadt: Arnold Bergsträsser 1896. 2 Bde.

August Langmesser: *Jacob Sarrasin, der Freund Lavaters, Lenzens, Klingers u. a.* Ein Beitrag zur Geschichte der Genieperiode. Zürich: Speidel 1899 (= Abhandlungen hrsg. von d. Ges. f. dt. Sprache in Zürich. Bd. V).

Ludwig Jacobowski: *Zu F. M. Klingers Gedächtnis*. In: Das litterarische Echo 2 (1899) S. 19 f.

Elisabeth Mentzel: *Der Junge Klinger*. In: Frankfurter Zeitung Nr. 46. 1902.

Elisabeth Mentzel: *Klingers ›Sturm und Drang‹ in Frankfurt*. In: Frankfurter Zeitung Nr. 150. 1903.

Wilhelm Feldmann: *Modewörter des 18. Jahrhunderts*. In: Zs. f. dt. Wortforschg. 6 (1904/05) S. 104–116.

Elisabeth Mentzel: *Ein Brief der Madame Möller an den Schauspieldirektor Gustav Friedrich Wilhelm Großmann*. In: Arch. f. Theatergesch. 2 (1905) S. 72–87.

Gustav Keckeis: *Dramaturgische Probleme im Sturm und Drang*. Bern: Francke 1907 (= Untersuchungen zur neueren Sprach- und Literaturgeschichte, hrsg. von O. Walzel. 11. Heft).

Richard Philipp: *Beiträge zur Kenntnis von Klingers Sprache und Stil in seinen Jugenddramen*. Diss. Freiburg 1909.

Joseph Zorn: *Die Motive der Sturm-und-Drang-Dramatiker, eine Untersuchung ihrer Herkunft und Entwicklung*. Diss. Bonn 1909.

Franz Hedicke: *Die Technik der dramatischen Handlung in F. M. Klingers Jugenddramen*. Diss. Halle 1911.

Friedrich A. Wyneken: *Rousseaus Einfluß auf Klinger*. In: University of California Publications in Modern Philology. Vol. 3, no. 1, Oct. 9, 1912. S. 1–85.

J. A. Walz: *Sturm- und Drang-Periode*. In: Zs. f. dt. Wortforschg. 14 (1912/13) S. 18 f.

Werner Kurz: *F. M. Klingers Sturm und Drang*. Halle a. S.: Niemeyer 1913 (= Bausteine z. Gesch. d. neueren dt. Lit. Hrsg. von F. Saran. Bd. XI).
Rezension: Dt. Lit.ztg. 1914. Sp. 2791 f. (W. Stammler).

Friedrich Gundolf: *Shakespeare und der deutsche Geist*. Berlin: Bondi 1914, besonders S. 256–261.

Erwin W. Roessler: *The Soliloquy in German Drama*. New York: Columbia University Press 1915 (Diss.).

Max Scherrer: *Kampf und Krieg im deutschen Drama von Gottsched bis Kleist*. Zürich: Rascher 1919 (= Diss. München).

Clara Stockmeyer: *Soziale Probleme im Drama des Sturmes und Dranges*. Frankfurt a. M.: Diesterweg 1922 (= Deutsche Forschungen, Hrsg. von F. Panzer u. J. Petersen, Heft 5).

Felix Brieger: *Der Wortschatz in F. M. Klingers Jugenddramen*. Diss. Greifswald 1924.

Oskar Alfred Palitzsch: *Erlebnisgehalt und Formproblem in F. M. Klingers Jugenddramen*. Dortmund 1925 (= Hamburgische Texte u. Untersuchungen zur dt. Philologie. Reihe II).

Fritz Brüggemann: *Klingers Sturm und Drang. Eine Auslegung*. In: Zs. f. dt. Bildung 2 (1926) S. 203–217.

Paul Kreck: *Die Rolle der Natur im Sturm-und-Drang-Drama*. Diss. Erlangen 1929.

Arnulf Perger: *Einortsdrama und Bewegungsdrama*. Brünn 1929.

Siegfried Melchinger: *Dramaturgie des Sturms und Drangs*. Gotha: Klotz 1929 (= Diss. Tübingen).

Kurt Fischer: *Seelisches Erleben in F. M. Klingers Sturm und Drang*. Diss. Göttingen 1930.

Kurt May: *Beitrag zur Phänomenologie des Dramas im Sturm und Drang*. In: Germ.-Rom. Monatsschrift 18 (1930) S. 260–268. Wiederholt in: K. M., Form und Bedeutung. Stuttgart 1957. S. 42 bis 49.

Kurt May: *F. M. Klingers Sturm und Drang*. In: Dt. Vierteljahrs-schrift 11 (1933) S. 398–407.

Friedrich Beißner: *Studien zur Sprache des Sturm und Drangs*. In: Germ.-Rom. Monatsschrift 21 (1934) S. 417–429.

Werner Milch: *Christoph Kaufmann*. Frauenfeld: Huber 1934 (= Die Schweiz im deutschen Geistesleben).

Horst Schäfer: *Das Raumproblem im Drama des Sturm und Drang*. Emsdetten: Lechte 1938 (= Die Schaubühne. Quellen und Forschungen zur Theatergesch. Hrsg. von Carl Niessen in Verbindung mit Artur Kutscher. Bd. 23) (= Diss. München).

Joseph Pinatel: *Le Drame Bourgeois en Allemagne au XVIIIe Siècle*. Lyon: Bosc & Riou 1938.

Herbert Morgan Waidson: *F. M. Klingers Stellung zur Geistesgeschichte seiner Zeit*. Dresden: Dittert 1939 (= Diss. Leipzig).

Heinz Steinberg: *Studien zu Schicksal und Ethos bei F. M. Klinger*. Berlin: Ebering 1941 (= Germanische Studien, Heft 234).

Walter H. Bruford: *Theatre, drama and audience in Goethe's Germany*. London: Routledge & Kegan Paul 1950.

Roy Pascal: *The German Sturm und Drang*. Manchester University Press 1953.

Manfred Jelenski: *Kritik am Feudalismus in den Werken F. M. Klingers bis zur Französischen Revolution, speziell in seinen Dramen*. Diss. Berlin [-Ost] 1953 (Masch.).

Heinz Stolpe: *Die Auffassung des jungen Herder vom Mittelalter. Ein Beitrag zur Geschichte der Aufklärung*. Weimar: Böhlau 1955 (= Beiträge zur deutschen Klassik. Abhandlungen Bd. 1).

Elisabeth Genton, geb. Deichmann: *Lenz – Klinger – Wagner. Studien über die rationalistischen Elemente im Denken und Dichten des Sturm und Drangs*. Diss. Berlin [FU] 1955 (Masch.).

Wolfgang Kayser: *Das Groteske in Malerei und Dichtung*. Oldenburg, Hamburg: Stalling 1957.

Olga Smoljan: *Friedrich Maximilian Klinger. Leben und Werk*. Aus dem Russischen übersetzt von Ernst Moritz Arndt. Weimar: Arion 1962 (= Beiträge zur deutschen Klassik. Hrsg. von Helmut Holtzhauer u. Karl-Heinz Klingenberg).

Richard Samuel: *Sturm und Drang*. In: Die Religion in Geschichte und Gegenwart. Bd. VI. Tübingen: Mohr ^{3}1962. Sp. 439–444.

Christoph Hering: *Friedrich Maximilian Klinger. Der Weltmann als Dichter*. Berlin: de Gruyter 1966.

William S. Heckscher: *Sturm und Drang. Conjectures upon the origin of a phrase.* In: Simiolus (Amsterdam). Jg. 1, Nr. 2 (1966/67) S. 94 bis 105.

Ansgar Hillach: *Klingers Sturm und Drang im Lichte eines frühen, unveröffentlichten Briefes.* In: Jahrbuch des Freien Deutschen Hochstifts 1968. Tübingen: Niemeyer 1968, S. 22–35.

Gert Mattenklott: *Melancholie in der Dramatik des Sturm und Drang.* Stuttgart: Metzler 1968 (= Studien zur Allgemeinen und Vergleichenden Literaturwissenschaft, 1).

Mark O. Kistler: *Drama of the Storm and Stress.* New York: Twayne 1969 (= Twayne's World Authors Series).

Renato Saviane: ›*Kraftkerl‹ e ›Tugendheld‹. Friedrich Maximilian Klinger dai drammi dello ›Sturm und Drang‹ ai romanzi della maturità.* In: Studi Germanici 7 (1969) S. 186–236.

Johan Pieter Snapper: *The solitary player in Klinger's early dramas.* In: The Germanic Review 45 (1970) S. 83–93.

Fritz Martini: *Die feindlichen Brüder. Zum Problem des gesellschaftskritischen Dramas von J. A. Leisewitz, F. M. Klinger und F. Schiller.* In: Schiller-Jahrbuch 16 (1972) S. 208–265.

Gerhard Kaiser: *Friedrich Maximilian Klingers Schauspiel »Sturm und Drang«.* In: Untersuchungen zur Literatur als Geschichte. Festschrift für Benno von Wiese. Hrsg. von Vincent J. Günther [u. a.]. Berlin: Erich Schmidt Verlag 1973, S. 15–35.

Daniel Stempel: *Angels of reason: science and myth in the Enlightenment.* In: Journal of the History of Ideas 36 (1975) S. 63–78.

Gert Mattenklott/Klaus R. Scherpe (Hrsg.): *Die Funktion der Literatur bei der Formierung der bürgerlichen Klasse Deutschlands im 18. Jahrhundert.* Kronberg i. Ts.: Athenäum ²1976.

Edward McInnes: *»Die Regie des Lebens«. Domestic drama and the Sturm und Drang.* In: Orbis Litterarum 32 (1977) S. 269–284.

Fritz Martini: *Friedrich Maximilian Klinger.* In: Benno von Wiese (Hrsg.): *Deutsche Dichter des 18. Jahrhunderts. Ihr Leben und Werk.* Berlin: Erich Schmidt Verlag 1977, S. 816–842.

Walter Hinck (Hrsg.): *Sturm und Drang. Ein literaturwissenschaftliches Studienbuch.* Kronberg i. Ts.: Athenäum 1978 (= AT, 2133).

Andreas Huyssen: *Drama des Sturm und Drang. Kommentar zu einer Epoche.* München: Winkler 1979 (= Winkler Germanistik).

Fritz Osterwalder: *Die Überwindung des Sturm und Drang im Werk Friedrich Maximilian Klingers. Die Entwicklung der Republikanischen Dichtung in der Zeit der Französischen Revolution.* Berlin:

Erich Schmidt Verlag 1979 (= Philologische Studien und Quellen, 96).

Regine Seibert: *Satirische Empirie. Literarische Struktur und geschichtlicher Wandel der Satire in der Spätaufklärung.* Würzburg 1981 (= Epistemata. Reihe: Literaturwissenschaft, 3).

ZEITTAFEL

1752   18. Februar. Friedrich Maximilian Klinger getauft, geboren also wohl zwischen dem 15. und 18. Februar, und zwar in Frankfurt am Main als erster Sohn des Stadtsoldaten Johannes Klinger und dessen zweiter Frau Cornelia Margareta Dorothea, der Tochter des verstorbenen Sergeanten Fuchs. Die Vornamen sind die des Paten, des kaiserlichen Rates und Frankfurter Schöffen von Lersner. – Geschwister: Anna Katharina (geb. 1751), Johann Friedrich (geb. 1754, gest. 1755), Agnes (geb. 1757).

1760   14. Februar. Tod des Vaters. In der Folge ernährt die Mutter die Familie durch Arbeiten als Wäscherin und Krämerin.

1772   Bis Herbst besucht Klinger das Frankfurter Gymnasium. Danach Bekanntschaft mit Goethe und dessen Freundeskreis in Frankfurt.

1774   Am 16. April wird Klinger in Gießen als Jurastudent immatrikuliert. Auf Empfehlung Goethes wohnt er bei Professor Höpfner.

1774–76 Studium und erste literarische Wirksamkeit. – Liebe zu Albertine von Grün. – Freundschaft mit Ernst Schleiermacher und dessen Schwester Jenny aus Darmstadt und dem Musiker Philipp Kayser. – 1775 in Wetzlar Bekanntschaft mit den Brüdern Stolberg und mit Miller.

1775   Anonym: *Otto* (Trauerspiel).
        Anonym: *Das leidende Weib* (Trauerspiel).

1776   2. Junihälfte. Abbruch des Studiums; Reise nach Weimar.
        24. Juni. Ankunft bei Goethe in Weimar.
        Juni bis Oktober. Bekanntschaft mit Christoph Kaufmann, Wieland, Gotter, Angehörigen des Weimarer Hofes.
        Anfang Oktober. Abreise von Weimar. In Leipzig

Anstellung als Theaterdichter der Schauspielertruppe
Abel Seylers.
Die Zwillinge (Trauerspiel).
Anonym: *Die Neue Arria* (Trauerspiel).
Anonym: *Simsone Grisaldo* (Schauspiel).
Sturm und Drang (Schauspiel).

1777   *Der verbannte Göttersohn.*
Bis 1778 auf Reisen mit der Seylerschen Theatergesellschaft. – Kurze Bekanntschaft mit G. E. Lessing,
Freundschaft mit dem Maler Müller, Heinse, Jacobi
u. a.

1778   Ende Februar Trennung von Seyler. Zu Goethes
Schwager Schlosser nach Emmendingen.
Zwischen März 1778 und August 1780 Versuch, durch
Schlosser und Pfeffel Kontakte mit Benjamin Franklin, dem amerikanischen Gesandten in Paris, anzuknüpfen, um sich der amerikanischen Freiheitsarmee
anzuschließen. Auf Schlossers Empfehlung Anstellung als Lieutenant in einem kaiserlich-österreichi-
schen Freikorps bei Ulm. Teilnahme am Bayerischen
Erbfolgekrieg in Böhmen, der bereits im Mai 1779
mit dem Teschener Frieden endet. Anschließend wiederum bei Schlosser in Emmendingen und bei Sarasin
und im Lavater-Kreis in Basel.
Durch Schlossers Vermittlung und auf Empfehlung
des Herzogs Friedrich Ernst von Württemberg an
seine Tochter Maria Fjodorowna, die Gattin des
russischen Thronfolgers Paul, wird Klinger im August Lieutenant im russischen Seebataillon, sowie
Gardeoffizier und Vorleser beim Großfürsten Paul.

1778–80 Anonym: *Orpheus eine Tragisch-Komische Geschichte.*

1780   Im Herbst Reise von Basel über Frankfurt, Ham-
burg, Lübeck nach St. Petersburg.
Anonym: *Prinz Seiden-Wurm der Reformator.*
Anonym: *Der Derwisch* (Lustspiel).
Anonym: *Prinz Formosos Fiedelbogen und der Prin-
zessin Sanaclara Geige.*
Anonym: *Plimplamplasko. Der hohe Geist.*
Stilpo und seine Kinder (Drama).

1781 Begleiter des Fürstenpaares auf einer Reise von Rußland nach Polen, Österreich, Italien, Frankreich und Belgien.

1782 Oberlieutenant eines Petersburger Infanterieregiments.
Die falschen Spieler (Lustspiel).

1783 *Elfride* (Tragödie).

1783–85 Teilnahme am russischen Türkenfeldzug.

1785 Kadettenlieutenant.
Die Geschichte vom Goldnen Hahn.

1786/87 *Theater* – Ausgabe in 4 Teilen mit den Erstdrucken von: *Konradin – Der Schwur – Medea in Korinth – Der Günstling.*

1788 Heirat mit der russischen Adligen Elisaweta Alexandrowna Alexejewa. Aus der Ehe gingen drei Söhne hervor, von denen zwei im frühen Knabenalter starben, der dritte, Alexander, nach einer Verwundung in der Schlacht von Borodino (1812).

1790 *Neues Theater* in 2 Teilen mit den Erstdrucken: *Aristodymos – Roderico – Damocles – Die zwo Freundinnen.*
Anonym: *Oriantes* (Trauerspiel).

1791 *Medea in Korinth und Medea auf dem Kaukasos. Zwey Trauerspiele* [= Erstausgabe des zweiten Stücks].
Bambino's sentimentalisch-politische, comisch-tragische Geschichte.
Fausts Leben, Thaten und Höllenfahrt in fünf Büchern (Roman).

1792–94 *Geschichte Giafars des Barmeciden* (Roman).

1793 *Geschichte Raphaels de Aquillas in fünf Büchern* (Roman).

1795 Anonym: *Reisen vor der Sündfluth.*

1797 Anonym: *Der Faust der Morgenländer* (Roman).
Der Schwur, gegen die Ehe (Lustspiel).

1798 Anonym: *Sahir, Eva's Erstgeborener im Paradiese* (Roman).
Anonym: *Geschichte eines Teutschen der neusten Zeit* (Roman).
Der Weltmann und der Dichter (Roman).

1801 Direktor des 1. Kadettenkorps.

1802 Mitglied der Hauptschulverwaltung beim Ministerium für Volksbildung; Mitglied des Rates der Lehranstalten für weibliche Zöglinge.

1803 24. Februar. Kurator des Schulbezirks und der Universität Dorpat.

1803–05 *Betrachtungen und Gedanken über verschiedene Gegenstände der Welt und der Litteratur.*

1805 Mitglied des Rates der Kriegsschulen.

1809–16 *Werke* in 12 Bänden.

1810 *Sämtliche philosophische Romane* in 12 Teilen.

1816 Enthebung vom Amt als Kurator.

1818 Enthebung von der Leitung des Pagenkorps und von der des Kadettenkorps.

1831 20. Februar (bzw. am 3. März nach dem russischen Kalender). Tod Klingers.

NACHWORT

Für K. H. St.

> Alle ästhetische Thaumaturgie reicht
> nicht zu, ein unmittelbares Gefühl zu
> ersetzen, und nichts als die *Höllen-*
> *fahrt* der *Selbsterkenntniß* bahnet uns
> den Weg zur *Vergötterung.*
>
> Johann Georg Hamann

> Brausen und Gähren hören von selbst
> auf.
>
> Gotthold Ephraim Lessing

›Löwenblutsäufer‹ wurde er in den siebziger Jahren des
Genie-Überschwanges genannt, von Freunden wie von
Feinden, halb bewundernd, halb spöttisch, unter Aufnahme
und Übertreibung einer dramatischen Wortgebärde, die
seine Übertriebenheit veranschaulichte. Friedrich Maximilian Klinger, der so Bezeichnete, hatte schon damals einen
sinnbildlichen Lebensweg hinter sich, sinnbildlich für die
Aufwärtsbewegung, das Aufwärtsstreben des deutschen Bürgertums im ausgehenden 18. Jahrhundert.

Als Sohn eines Frankfurter Stadtsoldaten 1752 geboren, im
achten Lebensjahr durch den Tod des Vaters in die minder-
begünstigte Rolle einer Halbwaise aus der untersten Schicht
des Bürgertums gezwungen, hatte Klinger, der einzige über-
lebende männliche Nachkomme der Familie, eine wirtschaft-
liche, gesellschaftliche und erzieherische Ausgangsstellung,
deren Schwierigkeiten und Hindernisse kaum ihresgleichen
unter den literarischen Zeitgenossen findet. Während die
jung verwitwete Mutter als Lohnwäscherin und durch einen
Kramladen den bescheidenen Unterhalt der Unmündigen
verdient, wird der Sohn durch einen glücklichen Zufall in
die Frankfurter Oberschule aufgenommen, verdient seinen
Platz dort – und spart später auch vielleicht noch einen
Zehrpfennig für die zukünftigen Ausgaben der Studien-
zeit –, indem er die Schulheizung versorgt und trotz brüchi-

ger Stimme am Kurrendesingen der ärmeren Schüler teil-
nimmt. Denkwürdig als Zeugnis dieses Aufwärtsstrebens um
jeden Preis ist und bleibt der Lebensbericht, den der eben
Volljährige schonungslos *und* empfindsam dem mitstreben-
den Lenz in einem Brief ablegte – Mitteilungsbedürfnis und
Vertrauensbeweis eines Außenseiters gegenüber einem ähnlich Behinderten – und von dem sich nur die Teilabschrift
des Empfängers für Frau von Stein erhalten hat (abgedruckt
im *Goethe-Jahrbuch* IX, 1888, S. 10 f. und öfter).

Als Klinger 1772 die Oberschule abschließt und sich auf
Universitätsstudien vorbereitet, steht er vor neuen Schwierigkeiten, die durch die Pflicht, Mutter und Schwestern zu
unterstützen, nur noch gesteigert sind. Zwei Jahre vergehen
in Frankfurt, ehe Klinger sich am 16. April 1774 als Student
der Rechtswissenschaften in Gießen einschreibt, zwei Jahre,
in die seine bedeutsame Begegnung mit Goethe und dessen
Frankfurter Freundeskreis fällt. Goethes Einfluß hat Klinger es denn auch zu verdanken, daß er in Frankfurt mit
durchreisenden Berühmtheiten der jungen Generation zu-
sammengeführt wird; auf Goethes Empfehlung erhält er in
Gießen bei dem entfernt mit den *Frankfurter Gelehrten
Anzeigen* verbundenen Professor Höpfner seine Unterkunft;
Handschriften Goethes schließlich, die Klinger zum Druck
verkaufen darf, bieten ihm eine wer weiß wie nötige Auf-
besserung seiner Mittel.

Wenig ist über Klingers Studium bekannt. Gießen gehörte
zu den verrohtesten Hochschulen Deutschlands in jener Zeit.
Immerhin zeigen die erhaltenen Dokumente, wie Klinger
seine literarischen Interessen und Kenntnisse erweitert und
vertieft, welche Freunde – menschliche und literarische Be-
gegnungen – bestimmend in sein Leben treten, vorab die
Freundschaft mit seinem lebenslangen Vertrauten, dem
Darmstädter Ernst Schleiermacher. Während das Studium
kaum je mit einem Wort zur Sprache kommt, spiegeln die
Briefe die ersten Liebeserfahrungen Klingers. Und, was im
Hinblick auf sein zukünftiges Schauspiel *Sturm und Drang*
wichtig wird, von Anfang an zeigt Klinger sich in vielfältige
Sentimentalitäten und Liebeleien verstrickt. Hier in den
Briefen erscheint Klinger nicht als Verkörperung jener dek-
kungsgleichen Einheit von Genie und Leben, als Ausdruck

eines Inneren, sondern er benutzt Mitmenschen zur eigenen gesellschaftlichen Aufwertung, zur Selbstbestätigung in einer höheren Schicht als der seiner Herkunft, ohne sich darum zu bekümmern, daß die eine oder andere der so in gesellschaftlichem Flirt Geliebten an der vermeintlichen Erfüllung zerbrechen mag wie jene halbvergessene Albertine von Grün aus Hachenburg.

Im Frühjahr 1776, als Klinger sein fünftes Studiensemester beginnt, steht er als junger und nicht erfolgloser Dramatiker – jahrs zuvor hatten seine *Zwillinge* vor Leisewitzens *Julius von Tarent* Sieg und Preis im Hamburger Theaterwettbewerb davongetragen – in Verbindungen zum genialischen Kreis Goethes und seiner Gleichgesinnten, zu den empfindsamen Schriftstellern wie Johann Martin Miller, zu denen des Göttinger Kreises wie dem Grafen Stolberg und – über den Frankfurter Jugendgefährten und nun Züricher Musiker Philipp Kayser – zum religiösen Sturm und Drang Lavaters in der Schweiz. Seines Studiums war Klinger damals völlig überdrüssig.

Ohne daß seine Briefe den Entschluß begründen, seine Hoffnungen und Lebenserwartungen umreißen, verläßt er Gießen und reist zu Goethe, den er schon gegen Ostern in Frankfurt wiederzusehen gehofft hatte. Die Unstimmigkeiten mit Höpfner, dem nicht Klingers literarischer Erfolg, sondern der genialische Ton und Lebensstil zuwider war, der nur sich und die Gesinnungsgenossen anerkannte und die restliche Welt als »Hundsfütter« abstempelte (Rieger, *Klinger in der Sturm- und Drangperiode*, S. 144), waren wohl ein Grund für diesen eruptiven Aufbruch; die genialische Angst vor bürgerlich geordneter Tätigkeit nach dem nicht mehr fernen Studienabschluß kam dazu; und schließlich war da jene keineswegs auf Klinger allein beschränkte, utopische Hoffnung, im Umkreis Goethes am Weimarer Hof eine genialische Kommune zu stiften. Lenz, den Klinger wahrscheinlich in Frankfurt getroffen hatte, war bereits auf dem Weg nach dem allesversprechenden Weimarer Hofleben. Klinger folgte dem Trabanten Goethes als Trabant. In Erwartung des Geldpreises für die *Zwillinge* konnte Klinger noch weitere Anleihen aufnehmen, um seine Reise ins Ungewisse zu beginnen.

Als Klinger am 24. Juni abends in Weimar eintraf, wurden ihm zwar gastlich alle Türen geöffnet, doch bald auch schon jede verbindliche Zukunftshoffnung benommen. Der Plan einer genialischen Kolonie hatte sich für Goethe bereits zerschlagen, ja, mehr noch, diese Erfahrung hatte entscheidend sein Leben beeinflußt. Im Mai des Jahres hatte sich der beiderseits zornig geführte Briefwechsel zwischen Klopstock und Goethe entspannt, in dem der angesehenste Litterator der Zeit dem genialischen Treiben in Weimar den Fehdehandschuh hingeworfen hatte, nachdem sein Gefolgsmann Friedrich Leopold Graf von Stolberg als Kammerherr in jenen Weimarer Trubel gezogen werden sollte. Der mitangegriffene Herzog Carl August verstand es, seinen Gefährten Goethe zu schützen, und ernannte ihn am 11. Juni zum Geheimen Legationsrat. Das neue und öffentliche Amt forderte den Tag Goethes; Klinger wird nur für »abends« oder »nachts« in Goethes Tagebuch als Besucher geführt.

So verbrachten Lenz und Klinger ihre Tage auf dem gemeinsamen Zimmer im Gasthaus »Zur Post«, in das Klinger – wieder einmal aus wirtschaftlichen Gründen – bald hatte übersiedeln müssen, nachdem er zunächst in den teuersten Häusern abgestiegen war. Kontakte zum Weimarer Hof wie zu dort anwesenden Fürstlichkeiten blieben unverbindlich; unter dem Einfluß Wielands und der Herzoginmutter Anna Amalia wurden Klingers Gedanken auf eine militärische Laufbahn gerichtet; der Kapitän von Knebel gab ihm bereitwillig Nachhilfestunden in Taktik, Strategie und Exerzierkunst, denn Klingers Hoffnungen gingen natürlich auf eine höhere Führungsrolle im Heer. Preußen, auf das sich diese ersten Hoffnungen richteten, lag allerdings derzeit in Frieden und hatte kaum ein genügendes Angebot an militärischen Stellen für den Bedarf des adligen Nachwuchses aus dem eigenen Land. Ebenso zerschlug sich der nächste Plan, eine Offiziersstelle für Klinger in den deutschen Mietstruppen zu erlangen, die auf der englischen Seite am amerikanischen Unabhängigkeitskrieg teilnahmen. Der Herzog von Braunschweig, Vater der Weimarer Herzoginmutter, verdiente ein gutes Sümmchen mit diesem Menschenhandel. Ein Angehöriger des Goethe- und Klinger-Kreises, der Major von Lindau, schrieb bereits von den in ersten Schlachten verdienten Sporen.

In der Ungeduld des Abwartens bildete sich dann der Plan einer Schauspielerlaufbahn, als der Druck der *Zwillinge* in Weimar bekannt und eine Aufführung – wohl auf dem Liebhabertheater der Herzoginmutter – für den Spätherbst ins Auge gefaßt wurde. Wieland, der in Klinger Theaterbefähigung sah, schlug zudem eine Bewerbung um Aufnahme in die Theatergesellschaft am Mannheimer Hofe vor, die Kurfürst Carl Theodor eben zusammenstellte.

Die übermäßige Freizeit des Müßiggängers wird wiederum ausgefüllt mit Liebeleien: hie zu einer mutwilligen Weimarer Caroline, hie mit der Eisenacher Reisebekanntschaft Emilie – alles »mit so weniger Passion als möglich«, wie ein Brief der Zeit es selbstbeherrscht ausspricht. In der Ferne stand die Erinnerung an Schleiermachers Darmstädter Schwester Henriette, die schon genannte Albertine von Grün und eine ungenannte Offenbacherin, deren Silhouette auch Goethes – nicht nur physiognomischen – Interessen entsprach. Und weiter berichtet ein Brief: »mit den Adlichen Fräuleins und Weiber vertrag ich mich gut«. Mehrere Reisen führten nach Gotha – und blieben gleichermaßen erfolglos, wenn man von Mädchenliebelei und Männerfreundschaft absieht. Dazu nahm das bescheidene Reisegeld stetig ab.

Hatten aber nicht die *Zwillinge* einen Preis gewonnen? Konnte Schröder nicht für weitere Arbeiten Klingers interessiert werden und dem Verfasser so Geld und Geltung verschaffen? »Im Drange nach Tätigkeit« (Klinger an Goethe 1814) entstand so ein neues Stück mit dem Arbeitstitel *Der Wirrwarr*. Daß dieses Stück erst in Weimar begonnen wurde, läßt sich aus Wielands Brief an Merck vom 17. Oktober 1776 ersehen (Rieger, *Klinger in der Sturm- und Drangperiode*, S. 177). Und dieses Stück war nicht nur eine literarische tour de force; es wurde vor dem Weimarer Freundes- und Bekanntenkreis gedichtet als Kompensation eines unerfüllten Geltungsbedürfnisses.

Geltungsbedürfnis um jeden Preis war dann auch wohl der Grund für den Bruch, der in der Freundschaft mit Goethe eintrat und der Goethe am 16. September in fast gleichlautenden Briefen an Lavater und Merck zu den harten Ausdrücken führte; spricht er doch von Klingers »Heterogenität«, Klinger sei »wie ein Splitter im Fleisch, er schwürt,

und wird sich herausschwüren« (Rieger, *Klinger in der Sturm-
und Drangperiode*, S. 164). Hilfeheischendes Geltungsstreben
veranlaßte Klinger ebenso, dem in Gotha getroffenen Christoph Kaufmann aus Winterthur sein Stück vorzulesen,
es ihm fast aufzudrängen. Der 23jährige Kaufmann teilte
die überschätzende Selbstauffassung der Genies und verstand sie als religiöse Sendung für sich; als ›Genieapostel‹
und ›Gottesspürhund‹ im Auftrage Lavaters sah er sich als
zweiten Petrus und fischte wie jener nach wahren Menschen.
So verband er die religiöse Innigkeit der Lavaterschen Ge-
nieauffassung mit der gegen die herkömmliche Gesellschaft
gerichteten, ungestüm innerweltlichen der deutschen Littera-
toren und erreichte mit dieser prekären Mischung einen für
das Jahrhundert Casanovas wie Cagliostros typischen An-
klang, bis die Zeit sich über ihn hinweg entwickelte. Kaufmann zeigte Verständnis für Klinger: den Menschen, den
Dichter und sein jüngstes Dichtwerk; nur mit dem Titel nicht
einverstanden, drang er ihm den epochemachenden des
Sturm und Drang auf, wie Klinger 1814 – also ganze 38
Jahre später – im Brief an Goethe mit einem Wortspiel
schrieb. Mochte die Bekanntschaft mit Kaufmann auch nochmals angenehme Tage in Gotha, Weimar und Dessau für
Klinger ergeben, Schlaglichter der Geltung auch auf ihn als
den Begleiter des Angestaunten fallen lassen, wirtschaftlich
stand Klinger vor dem Ruin. Die Berufspläne der Herzoginmutter, Wielands und Kaufmanns – der ihn beiläufig als
Hofmeister nach Rußland vermitteln wollte – lösten sich nicht
ein; Goethe konnte Klinger kaum mehr als die kalte Schul-
ter zeigen, so sehr er auch für den Augenblick von
Kaufmann hingerissen war, und diese unterschiedliche Behandlung der Reisegefährten blieb Klinger lebenslang in
Erinnerung. Klingers geborgtes Geld war wohl längst auf-
gebraucht. Die Sorgfalt, die er auf seine äußere Erscheinung
wandte und von der die Briefe an Schleiermacher ein seltsam
beredtes Zeugnis ablegen, wurde durch die begrenzten Mittel
beeinträchtigt. Klinger mußte befürchten, sein Gesicht vor
der Weimarer Gesellschaft zu verlieren. Zu allem Überfluß
war auch noch die Mutter krank geworden; die jahrelange
Arbeit als Lohnwäscherin hatte ihr die Gicht in den Händen
eingebracht; der Unterhalt der Familie war dadurch erneut

gefährdet. Ihre Hoffnung richtete sich auf den Sohn und Bruder, der ihr den Abbruch seines Studiums wahrscheinlich mit dem Hinweis auf baldige, feste und gut besoldete Anstellung schmackhaft zu machen versucht hatte. Als Klinger unter diesen Umständen Weimar verließ und sich nach Leipzig begab, war es daher ganz natürlich, daß er Abel Seylers Angebot dankbar annahm, gegen 500 Reichstaler jährlich, frei Tisch und Logis, als Theaterdichter für Seylers Schauspielergesellschaft angestellt zu werden. Seyler, der Kaufmann, Kapitalist und Manager unter den deutschen Theaterleuten des 18. Jahrhunderts, machte sein Angebot allerdings kaum wegen des eben fertigen Stücks, sondern um den Verfasser, dessen Name durch den Gewinn des Schröderschen Theaterwettbewerbs in ganz Deutschland zugkräftig geworden war, monopolistisch an sein Unternehmen zu binden.

Immerhin war *Sturm und Drang* die erste theatralische Leistung Klingers, die Abel Seyler mit dem neuen Theaterdichter einkaufte. Nachdem die Truppe die Leipziger Michaelismesse verließ und nach Dresden, ihrem festen Standort, zurückkehrte, konnte Klinger seinem Freund Schleiermacher mitteilen, daß *Sturm und Drang* bereits »kommende Woche« – d. h. im November 1776 – aufgeführt werden solle. Berichte über diese mutmaßliche Uraufführung sind jedoch nicht bekannt geworden. Als die Seylersche Truppe dann zur Ostermesse wieder nach Leipzig überwechselte, eröffnete sie am Dienstag nach Ostern, dem 1. April 1777, ihre Leipziger Aufführungen mit diesem Stück. Besonderen Eindruck machten der Mohrenjunge und der »wahnwitzige Lord« Berkley, wie das *Theaterjournal* berichtete. Das Publikum fühlte sich also vornehmlich von der sentimentalen Kinderrolle und der Zuständlichkeit des alten Berkley angezogen, nicht etwa von dem stürmischgenialen Paar Wild und der Schiffskapitän. Das ist eine interessante Feststellung für die mangelnde Aufnahmebereitschaft, die das Publikum der Klingerschen Selbstaussage entgegenbrachte, die sich ja eben in jenen jugendlichen Rollen ausspricht. Mag es auch verständlich dadurch erscheinen, daß die Rolle Berkleys mit dem ersten Helden und Publikumsliebling der Seylerschen Schauspieler, David Borchers, besetzt war, so erscheint es wichtig, an H. L. Wagners Be-

sprechung der Frankfurter Aufführung zu sehen, daß hier
ebenfalls die Rolle Berkleys gegenüber heutigem Empfinden
außergewöhnlich aufgewertet war. Seylers Truppe hatte
bald nach der Leipziger Ostermesse eine Tournee durch das
Rheinland angetreten. Neben wenigen ausländischen Dramen
und unter etwa einem Dutzend anderer deutscher Original-
schauspiele stand auch *Sturm und Drang* auf dem Programm, so daß man annehmen darf, daß dieses Repertoire-
stück wohl auch in den meisten Orten gespielt wurde. Da
Nachrichten über einzelne Aufführungen sonst fehlen, erhält
H. L. Wagners Bericht von der Frankfurter Vorführung
einen stellvertretenden Wert, der sich noch dadurch erhöht,
daß der Berichterstatter zu den schöpferisch tätigen Drama-
tikern jener Gruppe gehört und ein persönlicher Bekannter
Klingers ist. Seine eingehende Inhaltsangabe bezeichnet die
sentimentale Haltung, aus der das Stück mitfühlend erlebt
wurde. Und seine präzisen Angaben über die Theaterform
weisen auf die Darbietung hin, die zeittypisch immer noch
das abschließende Ballett zur Befriedigung des Publikums-
geschmacks verlangte. – Möglicherweise stammte dieses kaum
vorstellbare Ballett von Christian Gottlieb Neefe (1748–89),
dem Kapellmeister der Seylerschen Truppe und späteren
Lehrer Beethovens. – Dennoch war, zumindest in Frankfurt,
bei schlechtem Besuch des Theaters der Erfolg des Stückes
nicht so, wie Wagner ihn dem Wert des Schauspiels gemäß
erwartet hatte.
Bei all dem darf man nicht vergessen, daß das Publikum
hier einem noch ungedruckten Stück gegenüberstand. Die
langen und fast genau mit dem Druck übereinstimmenden
Zitate bei Wagner zeigen, daß er seine Besprechung in un-
mittelbarer Nähe Klingers vornahm und Einblick in das
Manuskript oder die ersten Druckbogen hatte.
Noch vor Ende des Jahres 1777 erschien der Druck in
schmuckloser Ausstattung. Die Jahreszahl *1776* unter der
Titel- und Autorangabe bezog sich also auf das Entstehungs-
jahr. Dagegen fehlen alle Angaben zum Druckort, Druck-
jahr und Drucker. Außer Zierleisten vor Akt I und am
Schluß von Akt V fehlt jeglicher Schmuck. Der sparsame
Druck läßt neue Akte nicht einmal auf einer neuen Seite
beginnen. Alle diese Eigenarten der Einrichtung wie auch

die verwendeten typographischen Mittel stimmen mit der *Sammlung neuer Original-Stücke für das deutsche Theater* (Berlin und Leipzig. 1777 u. 1778 in zwei Bänden) überein und erlauben dadurch die Feststellung des Druckers Decker. Unter den sieben Stücken der Sammlung befinden sich zwei von S. F. Schletter, dem Souffleur der Seylerschen Truppe, so daß man vermuten darf, daß Klinger über Seyler oder Schletter mit dem Verlag Deckers Verbindung aufnahm. Ein Teil der Auflage scheint sogar *Sturm und Drang* zu enthalten, wenn man den Rezensionen und älteren Beschreibungen Glauben schenkt. So muß geschlossen werden, daß Klingers Stück ursprünglich für den Abdruck in der *Sammlung* – und zwar wegen des zugkräftigen Verfassernamens als erstes Stück in Band I! – bestimmt war und dann aus unbekannten Gründen nur für einen Teil der Auflage verwendet wurde, sonst aber als Einzeldruck zur Auslieferung kam. Ob Klinger für diesen Druck Korrekturen las – was bei der Wanderschaft der Seylerschen Truppe sicher mit großen Schwierigkeiten verbunden gewesen wäre –, ist in Anbetracht der genialischen Briefe an Boie unwahrscheinlich, aus den erhaltenen Dokumenten jedenfalls nicht zu ersehen, womit nur festzustellen bleibt, daß *Sturm und Drang* der unzuverlässigste Erstdruck Klingers ist. Im III. Akt beginnt die große Flüchtigkeit; III, 2.9 fehlt die Angabe *Vorige*, III, 3 *der Mohr*, III, 4.6.8 das gesamte Personenverzeichnis, Akt IV hat ab Szene 3 eine falsche Szenenzählung, in Szene 1 und 2 fehlt das Personenverzeichnis und Szene 7 die Angabe *Vorige*. Akt V macht wiederum einen sorgfältigeren Eindruck; nur in den Szenen 2, 11 und 12 fehlt die Angabe *Vorige*.

Sturm und Drang erschien dann in der in Wien herausgegebenen Serie *Deutsche Schaubühne* und als Baseler Nachdruck von 1780. Möglicherweise ist Klinger, der während des Bayerischen Erbfolgekrieges in der Nähe der österreichischen Grenze in Garnison lag und sich 1780 in Basel aufhielt, an der Herstellung dieser Nachdrucke beteiligt gewesen. Während seiner zweiten Lebenshälfte, die Klinger als höherer Beamter am russisch-kaiserlichen Hof verbrachte, ist *Sturm und Drang* nur noch einmal neu gedruckt worden, als Klinger 1786 bei Hartknoch in Riga seine *Theater*-Ausgabe veranstaltete. Hier ist der Text von allerlei

Druckfehlern gereinigt und in Einzelheiten normalisierend
verändert. Auffällig sind dabei die typographische Verwendung des Apostrophs, die Großschreibung der Anredefürwör-
ter, die häufige Zusammenschreibung der zusammengesetz-
ten Hauptwörter und die Änderung der Höflichkeitsformen.
So redet Wild hier Berkley als ›Mylord‹ an, während er von
diesem immer als ›Sir‹ angesprochen wird.

Etwa zur selben Zeit muß Klinger festgestellt haben, daß
sein Schauspieltitel, den er selbst schon 1776/77 brieflich
in übertragener Bedeutung zur Bezeichnung seines seelischen
Zustandes verwendet hatte, inzwischen eine Fülle von sati-
rischen und parodistischen Verunglimpfungen des Geniewesens nach sich gezogen hatte. Noch der Brief von 1814
an Goethe findet ein bitteres Wort dafür. Jedenfalls stand
Klinger davon ab, das Stück je wieder in seinen späteren
Werkausgaben abzudrucken. Die nächsten Neudrucke setzen
erst lange nach Klingers Tod mit der fachwissenschaftlichen
Bemühung der neueren deutschen Literaturgeschichte um die
Goethezeit ein.

Rezensionen, die das Stück nach den Drucken besprachen
und bekannt machten, konnten sich nicht auf einen Eindruck
von einer Bühnendarstellung stützen. Es scheint, daß *Sturm
und Drang* außerhalb der Seylerschen Truppe nirgends
gespielt wurde. Auffällig ist, daß die meisten Rezensenten
offenbar das Stück nicht bis ans Ende lasen, sondern vom
Titel und der Eingangstirade Wilds bereits abgestoßen wurden. Der Titel und diese wenigen Eingangssätze wurden
denn auch zum Gegenstand der Parodien und Satiren, deren
Fülle es noch zu erarbeiten gilt. Umgekehrt fanden die Leser
des ganzen Stückes ihre vom traditionellen Theater her-
kommenden Erwartungen an ein analytisch angelegtes
Schauspiel nicht erfüllt und gaben deshalb ihr absprechendes
Urteil ab. So entsteht als Fazit die befremdliche Beobachtung, daß die Ausbreitung der Titelgebärde auf die Gruppe
der genialischen Schriftsteller sich nicht einmal auf das vor-
liegende Stück, sondern höchstens zwei seiner Einzelelemente
bezieht. ›Sturm und Drang‹ ist nicht Ausdruck des von der
Gruppe getragenen Selbstverständnisses, sondern eine willkürlich tendenziöse, ihr plakatartig angeheftete Etikettie-
rung.

Nachahmungen des Stückes, die von einer positiven Einstellung zu ihm gezeugt hätten, blieben verständlicherweise aus. Nur in Handlungsführung und Stoffelementen hat Heinrich Ferdinand Möller (1745–98), der gleichfalls zu Klingers Zeit mit Seylers Truppe verbunden war, *Sturm und Drang* für sein *Wickinson und Wandrop* ausgebeutet. Und gerade gegen Möller, den Verwässerer, richten sich mancherlei grausam anti-genialische Satiren – wie die des pseudonymen Schnirkel –, die ihrerseits den Klingerschen Titel polemisch aufgriffen und so die Gruppen- und spätere Epochenbezeichnung vorbereiteten.

Es war nötig, die Lebensumstände Klingers ausführlich heranzuziehen, um zu erweisen, daß *Sturm und Drang* zwar auf der Subjektivität und Biographie des Verfassers beruht, nicht aber ihr Abbild ist, sondern ihr kompensatorisches Gegenbild schafft. Während Klinger als Stückeschreiber in seinem *Sturm und Drang* die dumpfe Moritat von aufeinanderprallenden Extremen der Subjektivität mit dem Hohenlied der die Subjektivität erfüllenden und überwindenden einzigartigen Liebe verflicht, steht der Mensch Klinger im unerfüllten Streben nach einer bürgerlichen Anstellung, bemüht sich also, die Ordnungen für sich gültig zu machen, die er von seinen Dramengestalten so herausfordernd abgestreift hat. Und statt der Erfüllung einzigartiger Liebe wie im Stück zeigt des Verfassers Leben eine fortdauernde Kette von vielfältigen und gleichzeitigen Liebeleien. Zu den bereits aufgeführten Frauenzimmern treten für die Zeit bei der Seylerschen Truppe einige weitere, darunter jene noch auf Sachsen verweisende ›Psyche‹, dann eine namentlich Verschwiegene, die ihm sinnliche Befriedigung bot – wie Briefe an Wilhelm Heinse es unverblümt aussprechen und zur Nachahmung empfehlen –, und schließlich, wenn man dem Klatschbrief der tratschsüchtigen Madame Möller vertraut, die Frau seines Prinzipals, Louise Seyler.

Klingers *Sturm und Drang* ist ›ästhetische Thaumaturgie‹ im Sinne Hamanns, d. h. ein unzulängliches Trugspiel ohne vollen, letztlich religiös-geistigen Selbsteinsatz; die ›Höllenfahrt der Selbsterkenntniß‹ wird bei dem leichtfertigen Spiel mit literarischen Klischees wohlweislich vermieden. Und

wenn dennoch eine ›Vergötterung‹ als Endziel des Stückes
sich mitteilen möchte, so befremdet die Willkürlichkeit ihrer
Setzung, die übertrieben subjektivistische Haltung eines
dramatischen ›man kann, was man will‹.

Als Fanfare einer literarischen und geistesgeschichtlichen Bewegung zu gelten, für die sein Titel das etikettierende
Schlagwort abgibt, genießt Klingers *Sturm und Drang* als
Vorrecht und bezahlt diese Auszeichnung mit dem Nachteil,
selten gelesen und nie gespielt zu werden. Ein Theaterstück
ohne Bühne also, eine Lektüre, die sich weniger auf das
Stück als auf das Interesse an der unter seinem Titel er-
faßten Bewegung bezieht: das ist der Ort, den dieses Drama
Klingers in der Vorstellung der Nachwelt einnimmt.

Für die Deutung des Stückes wird es daher gut sein, nicht
nur die Bezüge zu der allgemeinen Geniegruppe, sondern
zumindest ebensosehr den Einzeltext ins Auge zu fassen.
Sicherlich erlauben die auffälligen Abweichungen von der
Norm und Form des herkömmlichen Theaters den Brük-
kenschlag zu Goethes Nachbemerkung zum Druck der dra-
mentheoretischen Schrift des Louis-Sébastien Mercier, deren
deutsche Übersetzung Heinrich Leopold Wagner besorgt
hatte. Goethe notierte dort:

»Deßwegen giebts doch eine Form die sich von jener
[äußeren] unterscheidet, wie der innere Sinn vom äussern,
die nicht mit Händen gegriffen, die gefühlt seyn will. Unser
Kopf muß übersehen, was ein andrer Kopf fassen kann,
unser Herz muß empfinden, was ein andres füllen mag.
Das Zusammenwerfen der Regeln giebt keine Ungebunden-
heit, und wenn ja das Beyspiel gefährlich seyn sollte, so ists
doch im Grunde besser ein verworrnes Stück machen, als ein
kaltes.« (L.-S. Mercier, *Neuer Versuch über die Schauspielkunst.* Leipzig: Schwickert 1776. S. 485.)

Goethes Bemerkungen, die auf die Bedeutung, den Eigen-
wert der ›inneren Form‹, ja ihrer Vornehmlichkeit über die
äußere verweisen, spiegeln die Kunstauffassung jener
Gruppe von Originalgenies, für deren Bezeichnung spätere
Jahre den Dramentitel Klingers aufgriffen. In der Tat sind
Goethes Worte etwa auf dieselbe Zeit wie Klingers Stück

zu datieren und scheinen in ihrem Hinweischarakter für gleichstrebende Dramatiker wie eine Vorausdeutung auf *Sturm und Drang*. Sein ursprünglicher Titel *Der Wirrwarr* spiegelt sogar Goethes Wortgebrauch, der das verworrene dem kalten Stück gegenüberstellt und es ihm vorzieht. Dabei darf daran erinnert werden, daß ›verworren‹ ein Schlüsselwort jener Jugend war – so hatte etwa der junge Goethe anfangs Oktober 1774 an Sophie La Roche geschrieben: »ich bin Stürmisch, verworren und hafte doch nur auf wenig Ideen« (Weimarer Ausgabe, 4. Abt., 2. Bd., S. 201) – und ebenso ›Wirrwarr‹, das als Neubildung nach dem Typus von i-a-Kinderwörtern (Singsang, Bimbam, Piffpaff) sich erst in dieser Zeit ausbreitete.

Der spätere Titel geht hingegen – so heißt es – auf den zeitweiligen Lebensgefährten Klingers zurück, den Kraft- und Genieapostel Christoph Kaufmann, der die ursprüngliche Titelbezeichnung zeitgerecht so ummünzte. Das Bühnenstück, als das es zunächst gedacht war, wurde damit um den Ausdruck einer Seelenlage, der geistigen Zuständlichkeit dieser Generation bereichert.

Woher aber stammt diese Bezeichnung, die in ihrer eindrücklichen Doppelform vorab den äußeren, unpersönlichen Sturm des Geschehens mit dem persönlichen, aus dem Innern des Einzelmenschen kommenden Drange und der Bedrängnis vereint? Eine eifrige Wortphilologie, deren Ergebnisse Rudolf Hildebrandts bedeutender Artikel ›Genie‹ im *Deutschen Wörterbuch* verzeichnet, gibt als früheste Belege zwei Briefe Lavaters an Herder aus den Jahren 1773 und 1774 an (»aus Sturm und Gedränge heraus«, 30. Dezember 1773, bzw. »aus dem Sturme der Erbtheilung, der Reiseanstalten, und einer unausstehlichen Gedrängtheit heraus«, 7. Juni 1774. Vgl. *Briefe an Herder von Lavater*, S. 76 bzw. S. 105). Im religiösen Ausdrucksbereich Lavaters wie Herders gehören die Vokabeln des ›Sturms‹ und des ›Dranges‹ zum Kernbestand des Wortschatzes. So hatte Herder schon 1761 von der »Sprache des Sturms der Wahrheit und der Empfindung« (*Suphan* Bd. IV, S. 426) geschrieben, und Lavaters *Physiognomische Fragmente*, die ja den einflußreichsten Hinweis auf Klingers Stück enthielten, verwenden das Wort ›Drang‹ in einer damals einzigartigen Häufigkeit. So ent-

steht der Eindruck, daß Kaufmann gängige Vokabeln des
Lavater-Kreises auf Klingers Stück anwandte.

Allerdings muß man sich dabei stets die Tatsache vor Augen
halten, daß diese Titelautorschaft Kaufmanns nur auf dem
einzigen Zeugnis von Klingers polemischem Brief beruht,
den er 1814 – also 38 Jahre später! – an Goethe schrieb.
Unbekannt ist es, wie Lavater Kenntnis von Klingers noch
ungedrucktem Stück erhielt. Vielleicht war Klingers Freund,
der in Zürich lebende Musiker Philipp Kayser, hierfür der
Mittelsmann. Jedenfalls hat der sonst gern angeberische
Kaufmann an keiner Stelle des erhaltenen Briefwechsels
seine Patenschaft am Titel dieses Stückes erwähnt. Anderer-
seits zeigt ein Brief Sulzers an Zimmermann von der Mitte
des Jahres 1777 über den Eindruck, den Kaufmann auf ihn
gemacht hatte, auch die Tragkraft jener Bezeichnungen für
das neue Menschenbild:
»Er ist wirklich ein lebendes Beispiel von einem Menschen,
wie Herder sie haben will: voll Feuer, Drang, innerer und
äusserer Kraft, die, weil es ihnen an Richtung fehlet, welche
die Vernunft allein geben kann, ganz verworren durchein-
ander rasen, ohne auf einen bestimmten Zweck zu zielen.«
(Vgl. H. Düntzer, *Christoff Kaufmann* . . ., a. a. O., S. 97.)

Man mag unter den Bedeutungsanklängen, die der Titel
von Klingers Drama hat, eine Stelle aus Hamlets Anwei-
sungen an die Schauspieler sehen (III, 2): »[. . .] for in the
very torrent, tempest and – as I may say – whirlwind of
passion, you must acquire and beget a temperance, that may
give it smoothness.«

Mit Lavater, dem ›neuen Christus‹, der den Kraftapostel
Kaufmann in sein Amt einsetzte und ihn in die Welt aus-
sandte, ebenso mit Herder rücken wir in den Bezirk des
Religiösen. Es erscheint daher als eine nützliche Ergänzung
zur Herkunftsbestimmung, wenn man auf die Bibel zurück-
greift. Die einzige Verwendung des Wortes ›Drang‹ in Luthers deutschen Schriften – zudem in einer Doppelform wie
in Klingers Titel – ist, nach Ph. Dietz, die Psalmenüber-
setzung »Warum verbirgest du dein Antlitz, vergissest unsers Elendes und Dranges?« (Ps. 44, 25), eine Stelle, die
ähnlich wie in Ps. 10, 11 und 13, 2 das Bild des schlafenden

und vergessenden Gottes heraufbeschwört, der den Menschen seiner menschlichen Daseinsqual ohne Hilfe aussetzt. (Interessant ist dabei noch, daß jüngere Ausgaben seit dem Pietismus statt Luthers ›Drang‹ das Wort ›Drangsal‹ setzen, eine Neuerung, die kaum für den Schweizer Lavater gültig war.) Und ferner liest man beim Propheten Nah. 1, 3 in Luthers Übersetzung »Er ist der Herr, des Weg in Wetter und Sturm ist und Gewölke der Staub unter seinen Füßen«. Dabei wird auf entsprechende Gottesbeschreibungen im 2. Mose 34, 5–7, Ps. 18, 10–14 und Jes. 66, 15 hingewiesen, wie sie für die deutsche Literatur am wirksamsten durch Klopstocks hymnisches Sprechen wurden. In derselben, noch hinter der Säkularisation religiös durchscheinenden Gestimmtheit hatte auch Goethe kurz zuvor das Wort an entscheidender Stelle verwendet, und zwar im Vorbericht des fiktiven Herausgebers der *Leiden des jungen Werthers*: »Und du gute Seele, die du eben den Drang fühlst wie er, schöpfe Trost aus seinem Leiden.«

Allerdings scheint sich nun ein Einwand zu erheben: die Bibelstellen wie Klopstocks Dichten beziehen diese Umschreibungen stets auf Gott – Nahum sogar ausdrücklich auf den rächenden Gott vor dem Untergang Ninives –; Klingers Drama wie die Stücke seiner Kunstgenossen aber handeln und sprechen vom Menschen in seiner besonderen, kraftgenialischen conditio humana. Und doch vertrat ja gerade diese Generation die Gottgleichheit des Menschen und umwarb begierig das Protestsymbol des Prometheus. Gottesebenbürtigkeit des Menschen, die qualitative Gleichsetzung des Schöpfergottes mit dem schöpferischen Einzelgeschöpf; zu diesem Glaubenssatz der Stürmer und Dränger kommt für Klingers Stück die Tatsache hinzu, daß die Existenz Gottes für den Ablauf des Geschehens so gut wie ausgeklammert ist.

Jeder Mensch ist seines Glückes Schmied; und so entsteht bei Klinger ein Bild des Lebens, das zwar den Schicksalsbegriff nicht völlig aufgibt, ihm aber eine äußerst triviale Rolle zuweist, die letztlich von dem oder jenem Einzelmenschen – und nur von ihm – abhängt. So stellt Klingers Stück eine Entwicklung dar, die im Wiedererkennen – der aristotelischen Tugend der Anagnoresis – eine Wahrheit ent-

deckt, erweist und dadurch ein Mißverständnis korrigiert.
Dieses Mißverständnis aber, der Anlaß der Verwirrung wie
des Wirrwarrs, ist als solches banal, übertreibt jedoch eben
darin die Sinnlosigkeit jenes Schicksals, das sich durch recht-
zeitige, vernünftige Warum-Fragen schon früher entblättert
hätte. Der Ort und Zeitpunkt des Wiedererkennens und
damit auch der Versöhnung sind zufällig und nur locker auf
den herkömmlichen Gegensatz von Hochzeit und Tod fi-
xiert. Nach der Sinngebung der Einzelschicksale bewirken
das Wiedererkennen und die Versöhnung die Katharsis.
Was übrig bleibt für das gesamte Stück ist die Bedeutung
des einzelnen und seiner Stellung zur und in der Gesellschaft für die richtige – und das heißt in der Geniezeit: pri-
vat ursprüngliche – Lebensweise. Dabei werden Bedeutungs-
kreise angespielt, die elementar sind und daher nicht mehr
Präzisierung als eine vage Umschreibung verlangen. Es handelt sich um das Verhältnis zur Familie, in die man geboren
ist, und zu der, die man selbst gründen kann. Mit anderen
Worten, es geht um das angeborene Pflichtverhältnis zu den
Eltern und um das selbstgewählte in der Liebe. Das ist freilich bescheiden, wenn man dieser Auffassung Kants Gegensatz von Pflicht und Neigung gegenüberstellt; doch wird die
Haltung bemerkenswert, die Klinger als Lösung dieses Kon-
flikts verwendet und anrät. Im Gefolge des Irrationalismus
ist es die bewußt hyperbolische Liebe, wie sie dem extrem
gesteigerten Wert des Individuums entspricht. Indem der
Liebe diese Wirkung eingeräumt wird, gewinnt Klinger im
Komödienschluß die kraftgenialisch bestmögliche Welt, während Lenz die Unmöglichkeit eben dieses einzigen Ausweges
beklagte, als er schrieb:
»Die größte Unvollkommenheit auf unserer Welt ist, dass
Liebe und Liebe sich so oft verfehlt und nach unserer physischen, moralischen und politischen Einrichtung sich fast immer verfehlen muss. Dahin sollen alle vereinigten Kräfte
streben, die Hindernisse wegzuriegeln; aber leider ist's unmöglich.« (zitiert bei R. Hassenkamp, in: *Euphorion* III
(1896) S. 539.)
Klinger erreicht seine Lösung des Happy-End dadurch, daß
er die ›physische, moralische und politische Einrichtung‹
unserer Welt‹ bewußt außer acht läßt und sein Stück in

einer reinen Zuständlichkeit ansiedelt, für deren Verlebendigung die Gestalten wie typische Tupfer von derselben Palette angebracht sind. Erstmals in Klingers dramatischem Schaffen gibt der Titel – und zwar sowohl der ursprüngliche als auch der später gedruckte – keine Gestalt, keinen Helden an, mit dem der Verfasser sich vornehmlich identifiziert, sondern eben einen seelischen Zustand, der Klingers Hoffen und Wünschen Ausdruck verleiht und ihn von seiner begrenzten Umgebung in der Lebenswirklichkeit befreit.

Auf seltsame Art verwendet Klinger alle Wirklichkeitsverweise. Amerika – London – Pyrenäisches Gebürge aus Frießland – Rußland – Spanien – der Mogol – Yorkshire – Schottland – Madrid und Holland schaffen eine bunt zusammengewürfelte, phantastisch verwirrende Geographie, deren Welt trotz der welthaften Namen eben durch die Art der Anordnung einen weltlosen Eindruck hinterläßt. Amerika ist der Schauplatz, heißt es am Ende der Personenliste, die selbst ziemlich willkürlich angeordnet ist. Diese einzige Bühnenanweisung deutet auf den zeitgeschichtlichen Hintergrund, der damals häufiger literarisch aufgegriffen wurde. (So hob der *Almanach für deutsche Musen auf das Jahr 1779*, S. 100 f., zu Joseph Marius Babos *Das Winterquartier in Amerika*, ein Originallustspiel in einem Aufzuge, Berlin 1778, lobend hervor, daß es »keines von denen Stücken ist, die sich durch Anspielung auf jetzige Zeitläufte verkaufen wollen«.) Bei Klinger wird zwar auf den Kampf um Freiheit und Unabhängigkeit angespielt, doch bleibt es bei diesem allgemeinen Hinweis. In der Tat muß man schon sehr genau aufmerken, um zu bestimmen, auf welcher Seite der kämpfenden Parteien die Personen dieses Stücks stehen, während Klinger selbst 1776 Offiziersdienste bei der britischen Armee suchte und dann 1779 über Benjamin Franklin bei der amerikanischen. Kurz, der Hintergrund der Kriegssituation wird von Klinger nur deshalb aufgegriffen, um auch im öffentlichen Leben eine Parallele zu jenem Streben nach Freiheit und Unabhängigkeit zu erzielen, das seine Gestalten beherrscht. Deshalb – und nicht nur aus Erwägungen der Aufführbarkeit! – wird die Schlacht zwischen zwei Aufzüge gelegt und die gegnerische Seite überhaupt vom Erscheinen auf der Bühne ausgeschlossen. Dadurch müssen wiederum die Gestalten des Stücks in ein besonderes Licht rücken. Ihr Auftreten ist nicht bestimmt durch eine soziale Rolle und von der entsprechenden Wirklichkeits- und Gesellschaftsfunktion; Autoritäten einer gestuften Ordnung fehlen hier. Ein General wird einmal beiläufig erwähnt; und jene Autorität, die die Verbannungen aussprach, von der in der letzten Szene die Rede ist, wird dort nicht einmal angegeben, sondern muß aus einer emphatischen Bemerkung Berkleys am Ende des II. Aktes als der König erschlossen werden.

Klingers Gestalten sind Individuen im vollen Sinne des Wortes: unabhängige einzelne, die, aus den geordneten Bahnen eines herkömmlichen Lebens gerissen, im Selbsteinsatz ein ihnen gemäßes Leben suchen. Für die Hauptgestalten besteht dieser Einsatz in der freiwilligen Aufnahme des Kriegsdienstes auf Leben und Tod; die Nebengestalten sind gerade dadurch von jenen abgehoben, daß für sie diese Entscheidung nicht besteht. Der fast vollständige Indeterminismus, der außergesellschaftliche Subjektivismus erlaubt es Klinger denn auch, seiner Hauptgestalt in einem melancholischen Seelenmoment die wichtigen Worte der Selbsterkenntnis in den Mund zu legen: »Unser Unglück kommt aus unserer eigenen Stimmung des Herzens, die Welt hat dabei gethan, aber weniger als wir.« (I, 1) Doch nicht nur das Unglück entstammt jener irrationalen Provinz, der Selbsterfahrung des autonomen Ich, auch die Gegenwelt, zu der die Auflösung des Stückes führen wird, ist aus diesem Bereich der Selbstbestimmung hergeleitet: »Laß uns Alles gut machen, laß uns in Liebe leben!« (V, 12) Auch hier sind es wieder die ›Stimmungen‹, die ›Empfindungen‹, das ›reine Herz‹, die für jenen szenisch-gestischen Schluß die Voraussetzung bilden, in dem das zurückbleibende Paar »sich in allem Gefühle der Liebe umarmt« und dem Theater der Ausdrucksbereich des Schweigens gewonnen wird.

Berücksichtigt man diese Ausrichtung auf die Stimmung des Herzens, so wird man gut daran tun, die äußere, spektakuläre Handlung beiseite zu schieben, um das Geschehen der inneren Form im Hinblick auf die empfindende Haltung ins Auge zu fassen. Sicherlich wird Klingers Stück dadurch zu einer repräsentativen Entwicklung der Innerlichkeit, die aus dem Wirrwarr des Beginns über den Sturm und Drang zur Harmonie des Schlusses führt: »Nur diese Gnade, lieber Himmel! daß ich [...] aus diesem verworrnen Drang komme!« (V, 12) Damit ist die einzige Stelle zitiert, an der das neue Modewort ›Drang‹ im gesprochenen Text erscheint. Berkley, der es ausspricht, verwendet den ›Himmel‹ nicht als Ausweg aus einer menschlich unlösbaren Situation, sondern bezieht sich anklagend auf ihn, um der unveräußerlichen Blutbande zu seiner Tochter ledig zu werden. Der Mensch ist zwar noch Gottes oder des Himmels Geschöpf, doch als marionettenhaftes Kunstprodukt ist er für immer auf sich selbst gestellt: »O Gott! du hast uns wunderbar gebaut, wunderbar unsre Nerven gespannt, wunderbar unser Herz gestimmt!« (I, 2) Die reduzierte Auffassung vom göttlichen Heilsplan führt zu der Alternative, daß Sympathie oder Antipathie, Zuneigung oder Abneigung, Liebe oder Haß die Menschen als einzelne miteinander verketten oder voneinander scheiden. Der simple Dualismus muß sich nach Klingers Wertlehre auf einzelne Mitmenschen richten. Ist die Liebe bzw. der Haß allgemein, also auf alles oder nichts gerichtet, so entsteht eine Rolle der untergeordneten, uneigentlichen Handlungsträger, die Klinger geschickt im Gefolge des genialischen Kunstprogramms nach der Technik der kontrastierenden Parallelhandlungen durchführt. Klingers aktivistische Wirklichkeitserfahrung geht vom einzelnen aus und verlangt auf einen anderen einzelnen ausgerichtet zu sein; wo dieser Grundsatz nicht beachtet, nicht gelebt wird, entsteht vom Stück her eine implizite Kritik, sei es an der als unverbindlich mißverstandenen Genußhaltung des Rokoko, sei es an der gesteigerten Passivität des Sentimentalismus. Gleichgültig, ob positiv oder negativ ausgerichtet, ergibt umgekehrt die aktive, ja aktivistische Haltung, daß der Handlungsträger zu den hervorgehobenen Kraft-Individuen gehört. Auch darin stimmt Klinger mit Lavaters *Physiognomischen Fragmenten* überein, die dies so aussprachen: »*Sympathie* – wo nicht das Wesen des Genies, Genie selbst; doch *Quelle* des Genies!« (a. a. O., Bd. IV, S. 96.) Klingers dramatischer Aufbau verlangt nach der Gegenwelt der Antipathie; ›Sympathie‹ wie ›Antipathie‹ treten an herausgehobenen Stellen des Stücks als Worthaltungen der Handlungsträger auf. Doch auch bei Klinger wird schließlich die Sympathie, die ›Beförderung zur Humanität‹, siegen. Herz – Liebe und der Kult des fühlenden Sehens sind bei Klinger wie bei Lavater die unterscheidenden Merkmale der genialischen Menschen und werden als Schlüsselwörter und Motive von Klinger in das Stück verflochten, während Lavater sie allgemeiner umreißt:

»Und Genie, *ganzes*, wahres Genie, *ohne Herz* – ist [...] – *Unding* – Denn nicht *hoher Verstand allein*; nicht *Imagination allein*; nicht *beyde zusammen* machen *Genie – Liebe! Liebe! Liebe* – ist die *Seele des Genies*.« (a. a. O., Bd. III, S. 223)

»Das *Genie* ahndet; das heißt: *Sein Gefühl läuft der Beobachtung vor*. Das *Genie* als *Genie beobachtet* nicht. Es *sieht*. Es *fühlt*. Man hebe diesen Gedanken nicht sogleich aus, um ihn zu spießen. Man verstehe mich recht. *Beobachtung* bewahrheitet, popularisiert, was das Genie nicht beobachten wollte, sondern sah. Das Genie wird sein *Sehen* durch *Beobachtungen* mittheilbar machen. Aber – als *Genie* wird es nur sehen, fühlen, ahnden. *Beobachten* kann man lernen und lehren jeden, der *sehen* kann. Aber nicht jeden, der Augen hat, sehen lehren – geschweige den, der keine hat.« (a. a. O., Bd. IV, S. 132 f.)

Klingers Interesse und Identifikation zielt auf die Zuständlichkeit des Menschen, die durch die Trinität der Liebe erfüllt und überwunden werden kann und muß. So tritt der dramatische Weltausschnitt, der vorgeführt wird, nicht als individuelle Weltschöpfung ein, sondern Klinger beutet unbeschwert die literarische und geistesgeschichtliche Tradition für eine typisierende Darstellung aus. Das Hauptmotiv der Handlung ist – wie schon in Klingers *Stilpo* – aus Shakespeares *Romeo und Julia* abgeleitet, wird aber gemäß dem Zwangscharakter der Kompensation als Komödie gelöst. Berkley und Bushy sind aus Shakespeares *Richard II.* entlehnte Namen; La Feu entstammt *Ende gut, alles gut*; Jenny Caroline verbindet die Namen der Darmstädter und Weimarer Freundinnen Klingers (ferner hieß eine Schauspielerin in Seylers Truppe Henriette Caroline!); Wild und Blasius sind für sich sprechende Typennamen. Das Recht des Individuums wird entsprechend der Traditionskette Petrarca – Shakespeare – Rousseau – Herder – Goethe ausgesprochen. Von Petrarca – dessen Bedeutung der Briefwechsel Klingers wie auch Wagners Bühnenbericht betont – wird ein sentimentales Wertbewußtsein in der Liebe, unabhängig von Stand und Beruf, übernommen; von Shakespeare entlehnt Klinger die Leidenschaftlichkeit, das Große, Schreckliche und Melancholische, auf das schon Lessing wegen einer Nähe zum deutschen Charakter besonders verwiesen hatte; von Rousseau stammt das Bewußtsein des isolierten einzelnen im Naturzustand, dessen Gefühl sich spontan erfüllt, ohne durch die Stellung in der Gesellschaft in ein ›amour de soi‹ und ein ›amour propre‹ gespalten zu sein. Der auf sein Ich gebannte einzelne erscheint als typischer Charakter in zu seinem Charakter passenden Situationen, die ohne Handlungskausalität aneinandergereiht sind. Der Fluß der Handlung wird auf fünf annähernd gleich lange Akte verteilt, die im zweifachen Szenenwechsel pro Akt (außer dem 2. Akt) die Kontrastwelten des Tages und der Nächtigkeit, des räumlichen Innen und Außen nicht als Fortführungen der herkömmlichen Einheiten, sondern als Spiegelungen der Seelenzustände, als Sturm und Drang, vorstellen. Die Ansiedlung des Spiels in und um ein Wirtshaus verweist bereits auf den notorisch komödiantischen Beiklang, den dieses Handlungselement in der dramatischen Weltliteratur besitzt. Die analytische Anlage des Stücks bezieht die Abschließbarkeit der Analyse ein; in dieser Abschließbarkeit liegt die potentielle Komödie begründet. Der dramatische Aufbau der Analyse folgt dem alttestamentarischen Prinzip eines ›Auge um Auge, Zahn um Zahn‹. Berkleys Gattin z. B. ist jener fatalen nächtlichen Feuersbrunst zum Opfer gefallen; folglich muß Bushys Gattin ebenfalls als tot genannt werden. Der Mitgerettete Hubert darf auf der Bühne nicht erscheinen; entsprechend erfolgt der unversöhnte Abgang von Berkleys Sohn. Die Äußerlichkeit des Zufalls, der das Happy-End heraufführt, ist absichtlich von einem Kind und Primitiven abhängig, der ja auch die Nebenhandlung mit dem Bildchen der Mutter Wilds einleitet. Kindlichkeit als Flucht vor der Wirklichkeit, wie sie für fast alle Gestalten des Stücks zutrifft, wird in der Gestalt des Mohrenknaben ausgeglichen durch ein wirkliches Kind.

Im dämonischen großen Kerl fallen Schicksal und Charakter
zusammen. Die Individualität, nicht das gesellschaftliche
›moi relatif‹ determiniert das Schicksal. Kraftbewußtsein
und ethisches Streben als Grundkomponenten Klingers schaffen die Vorausdeutung auf die Überwindung des Sturm-
und-Drang-Stadiums, zumindest in den wiedergewonnenen
Selbsteinsichten der melancholischen Augenblicke, so, wenn
etwa Wild sagt, er sei »so jung und unglücklich, und unglücklicher, da es an Geduld fehlt, da das Gefühl so stark
ist« (II, 5). Oder in jener schon angeführten Stelle, die das
Ichbewußtsein sogar durchbricht und sich als Wir-Haltung
äußert: »Unser Unglück kommt aus unserer eigenen Stimmung des Herzens, die Welt hat dabey gethan, aber weniger
als wir.« (I, 1)

Die Formulierung des Titels schließlich verdiente eine eingehende Sonderbehandlung. Die eindrückliche Zusammen-
stellung von ›Sturm‹ und ›Drang‹, deren geistesgeschichtliche Bezüge, Anklänge und Obertöne im vorigen verfolgt
wurden, konnte sofort beim Erscheinen des Dramas von
vielen Zeitgenossen zur Kritik und Satire des Geniewesens
überhaupt aufgegriffen werden. In diesem Mißverständnis
der Titelformulierung als Formel, die zu dem negativen
Gruppennamen führte, lag auch der Ursprung für die spätere Epochenbezeichnung, die durch die dann einsetzende
Literaturgeschichtsschreibung verallgemeinert wurde. Das
reichhaltige Schrifttum gegen den Geniekult fiel allerdings
im literaturgeschichtlichen Bewußtsein bald der Vergessenheit anheim. Schon Ludwig Tieck konnte in der Einleitung
zu seiner Ausgabe der *Schriften von Lenz* (Berlin: Reimer
1828; Zitat: Bd. I, S. VII) schreiben: »Wir haben jene Zeit
halb vergessen [...] den neueren Critikern und Erzählern
ist fast nur der stehende Beiname der Sturm-und Drang-
Periode im Gedächtnis geblieben.« Erhalten hat sich anderer-
seits das logische Urteil, das Immanuel Kant in seiner
Anthropologie (1798) am Beispiel des kennzeichnenden
Kaufmannschen ›Symbolum‹ fällte:
»Was ist aber von dem ruhmredigen Ausspruche der Kraftmänner, der nicht auf bloßes Temperament gerichtet ist, zu

halten: ›Was der Mensch *will*, das *kann* er‹? Er ist nichts weiter als eine hochtönende Tautologie: was er nämlich *auf den Geheiß seiner moralisch gebietenden Vernunft* will, das *soll* er, folglich *kann* er es auch tun (denn das Unmögliche wird ihm die Vernunft nicht gebieten). Es gab aber vor einigen Jahren solche Gecken, die das auch im physischen Sinn von sich priesen, und sich als Weltbestürmer ankündigten, deren Rasen aber vorlängst ausgegangen ist.« (op. cit., hrsg. von K. Vorländer. Leipzig: Meiner [= Philosoph. Bibl. Bd. 44] ⁶1922, S. 39 f.)

Trotz der zeitbezogenen Formulierung hat Kants schroffe Ablehnung gerade durch die logische Begründung eine überzeitliche Gültigkeit. ›Was der Mensch will, das kann er‹ oder ›Sturm und Drang‹ sind angemessene Ausdrucksformen des subjektivistischen Weltempfindens. Als solche Möglichkeit menschlichen Selbstverständnisses sind sie dauerhaft aktuell, in den siebziger Jahren des 18. Jahrhunderts wie heute, für den einzelnen wie für jede jugendliche Generationsstufe. Darin liegt, abgesehen von dem literarhistorischen Rang, den es beanspruchen darf, die Bedeutung des Klingerschen Jugenddramas.

Cambridge   *J.-U. F.*

INHALT

Sturm und Drang

Eine Auswahl

Philipp Reclam jun. Stuttgart